DANIEL GLATTAUER

Ewig Dein

GOLDMANN
Lesen erleben

Buch

Im Supermarkt lernt Judith, Mitte dreißig und Single, Hannes kennen, der ihr im Gedränge auf die Ferse steigt. Kurz darauf taucht er in dem edlen kleinen Lampengeschäft auf, das Judith unterstützt von ihrer Auszubildenden Bianca führt.

Hannes, Architekt, ledig und in den besten Jahren, ist nicht nur der Traum aller Schwiegermütter – auch Judiths Freundeskreis ist restlos begeistert. Anfangs genießt es Judith, von diesem zielstrebigen Mann, der nur sie im Kopf zu haben scheint, auf einen Thron gehoben zu werden. Aber nach und nach empfindet sie seine ständigen Liebesbeweise als belastend, seine intensiven Zuwendungen als erdrückend. Sie fühlt sich von ihm in die Ecke gedrängt, eingesperrt und kontrolliert. All ihre Versuche, ihn wieder aus ihrem Leben zu bekommen, scheitern; er verfolgt sie bis in ihre Träume, und wenn sie aufwacht, wartet er schon wieder auf sie, um ihr Gutes zu tun …

Weitere Informationen zu Daniel Glattauer
sowie zu lieferbaren Titeln des Autors
finden Sie am Ende des Buches.

Daniel Glattauer

Ewig Dein

Roman

GOLDMANN

Verlagsgruppe Random House FSC® N001967
Das FSC®-zertifizierte Papier *Holmen Book Cream* für dieses Buch
liefert Holmen Paper, Hallstavik, Schweden.

1. Auflage
Taschenbuchausgabe Januar 2014
Wilhelm Goldmann Verlag, München,
in der Verlagsgruppe Random House GmbH
Lizenzausgabe mit Genehmigung
des Paul Zsolnay Verlages, Wien
Copyright © der Originalausgabe
Deuticke im Paul Zsonay Verlag, Wien 2012
Umschlaggestaltung: UNO Werbeagentur, München
Umschlagmotiv: Hauptmann & Kompanie Werbeagentur, Zürich
mb · Herstellung: Str.
Druck und Bindung: GGP Media GmbH, Pößneck
Printed in Germany
ISBN: 978-3-442-47881-1
www.goldmann-verlag.de

Besuchen Sie den Goldmann Verlag im Netz

Phase eins

1.

Als er in ihr Leben trat, verspürte Judith einen stechenden Schmerz, der gleich wieder nachließ. Er: »Verzeihung.« Sie: »Macht nichts.« Er: »Dieses Gedränge.« Sie: »Ja.« Judith überflog sein Gesicht, als wären es die täglichen Sportschlagzeilen. Sie wollte nur eine Ahnung davon haben, wie jemand aussah, der einem am Gründonnerstag in der überfüllten Käseabteilung die Ferse abhackte. Sie war wenig überrascht, er sah normal aus. Er war einer wie alle hier, nicht besser, nicht schlechter, nicht origineller. Warum musste die gesamte Bevölkerung zu Ostern Käse kaufen? Warum im gleichen Kaufhaus zur selben Stunde?

Bei der Kassa legte er, schon wieder er, neben ihr die Waren auf das Förderband. Sie registrierte ihn dank eines einschlägig riechenden rostbraunen Raulederjackenärmels. Sein Gesicht hatte sie längst vergessen, nein, sie hatte es sich gar nicht erst gemerkt, aber die geschickten, gezielten und dabei geschmeidigen Bewegungen seiner Hände gefielen ihr. Es wirkte ja auch noch im 21. Jahrhundert wie ein Wunder, wenn ein Mann um die vierzig im Supermarkt zu-, aus- und einpackte, als hätte er es vorher schon einmal getan.

Beim Ausgang war es beinahe kein Zufall mehr, dass er wieder dort stand, um ihr die Tür aufzuhalten und um mit seinem Langzeitpersonengedächtnis zu brillieren. Er: »Nochmals Verzeihung für den Tritt.« Sie: »Ach, längst vergessen.« Er: »Nein, nein, ich weiß, so was kann höllisch wehtun.« Sie: »So schlimm war es nicht.« Er: »Gut, gut.« Sie: »Ja.« Er: »Na dann.« Sie: »Ja.« Er: »Schöne Feiertage.« Sie: »Ihnen auch.« Sie liebte Gespräche dieser Art im Kaufhaus, das sollte jetzt aber für immer genügen.

Ihre vorerst letzten Gedanken an ihn galten seinen fünf bis sieben oder acht Bananen, der gelben Riesenstaude, die er vor ihren Augen eingepackt hatte. Wer fünf bis sieben oder acht Bananen kaufte, hatte bestimmt zwei bis drei oder vier hungrige Kinder daheim. Unter der Lederjacke trug er wahrscheinlich einen Pullunder mit großen Karos in Regenbogenfarben. Er war so ein richtiger Familienvater, dachte sie, einer, der für vier bis fünf oder sechs Personen Wäsche wusch und zum Trocknen aufhängte, die Socken vermutlich alle in einer Reihe, paarweise geschlichtet, und wehe, es brachte jemand seine Ordnung auf der Wäscheleine durcheinander.

Daheim klebte sie sich ein dickes Pflaster auf die rote Ferse. Zum Glück war die Achillessehne nicht gerissen. Sonst fühlte sich Judith ohnehin unverwundbar.

2.

Ostern verlief wie immer. Samstagvormittag: Besuch bei der Mama. Mama: »Wie geht es Vater?« Judith: »Ich weiß es nicht, ich bin am Nachmittag bei ihm.« Samstagnachmittag: Besuch beim Vater. Vater: »Wie geht es Mama?« Judith:

»Gut, ich war am Vormittag bei ihr.« Sonntagmittag: Besuch bei Bruder Ali auf dem Land. Ali: »Wie geht es Mama und Vater?« Judith: »Gut, ich war gestern bei ihnen.« Ali: »Sie sind wieder zusammen?«

Am Ostermontag waren Freunde bei ihr zum Essen geladen. Eigentlich nur am Abend, aber bereits nach dem Aufstehen hatte sie darauf hingearbeitet. Sie waren zu sechst: zwei Paare, zwei Singles (einer davon ein ewiger, der andere – sie selbst). Zwischen den Gängen gab es niveauvolle Gespräche, hauptsächlich über vitaminschonende Garmethoden und neueste Entwicklungen in der Weinsteinbekämpfung. Die Gruppe war homogen, phasenweise sogar verschworen (gegen Krieg, Armut und Gänsestopfleber). Der frisch aufgehängte Jugendstilluster sorgte für warmes Licht und freundliche Gesichter. *The Divine Comedy* hatten rechtzeitig für den Anlass ihre aktuelle CD auf den Markt gebracht.

Ilse lächelte ihrem Roland sogar einmal zu, er massierte ihr zwei Sekunden die rechte Schulter – und das nach dreizehn Ehejahren und zwei Kindern in jenem Köcher, aus dem täglich Antileidenschaftspfeile verschossen werden. Das andere, jüngere Paar, Lara und Valentin, war noch in der Händchenhalteperiode. Hin und wieder umklammerte sie seine Finger mit beiden Händen, vielleicht um ihn fester zu halten, als es ihr auf Dauer gelingen würde. Gerd war natürlich wieder der Witzigste, ein großer Gesellschaftstiger, der mit der Aufgabe, spröde Menschen lockerer und mutiger im Wort zu machen, wuchs. Leider war er nicht schwul, sonst hätte Judith ihn gerne auch öfter alleine getroffen, um ihm persönlichere Dinge anzuvertrauen, als dies in einer Gruppe mit Pärchen möglich war.

Am Ende solcher Abende, wenn die Gäste abgezogen waren und nur noch Dunstwolken an sie erinnerten, testete Judith immer, wie es ihr ging, so im vertrauten Rahmen mit sich und Bergen von benütztem Geschirr. Oh doch, es war schon die deutlich höhere Lebensqualität, eine Stunde Küchendienst zu versehen, die Fenster aufzureißen und Frischluft ins Wohnzimmer zu lassen, tief durchzuatmen, noch schnell eine präventive Kopfschmerztablette einzuwerfen, dann endlich den geliebten Polster zu umarmen und ihn erst um acht Uhr morgens wieder freizugeben. Das war eindeutig besser, als in die Psyche eines vermutlich (ebenfalls) betrunkenen, chronisch schweigsamen, für private Sperrstunden nicht geschaffenen, aufräumungsarbeitsunwilligen »Partners« dringen zu müssen, um auszuloten, ob er sich Hoffnungen machte oder Befürchtungen hegte, es könnte sich noch Sex ergeben. Diesen Stress ersparte sich Judith. Nur in der Früh, da fehlte er manchmal, der Mann neben ihr unter der Decke. Aber es durfte halt nicht irgendeiner sein, nicht einmal ein gewisser, nur ein bestimmter. Und deshalb konnte es leider keiner sein, den sie bereits kannte.

3.

Judith ging gern in die Arbeit. Und wenn nicht, wie so gut wie immer nach Feiertagen, dann betrieb sie jeden nur erdenklichen Aufwand, es sich einzureden. Immerhin war sie ihre eigene Chefin, auch wenn sie sich mehrmals täglich eine andere, nachlässigere wünschte, zum Beispiel ihr Lehrmädchen Bianca, die nur einen Spiegel brauchte, um vollbeschäftigt zu sein. Judith führte ein kleines Unternehmen in der Goldschlagstraße im fünfzehnten Bezirk. Das klang zwar unternehmerischer, als es war, aber sie liebte ihr Lampengeschäft, mit keinem Lokal der Welt wollte sie es tauschen. Schon in der Kindheit waren dies die schönsten Räume auf Erden, voll glitzernder Sterne und funkelnder Kugeln, stets hell erleuchtet, immerzu festlich. In Opas glänzendem Freilichtmuseum ließ sich täglich Weihnachten feiern.

Mit fünfzehn fühlte sich Judith wie im goldgelben Käfig, beim Hausaufgabenmachen von Stehlampen überwacht, bis in die intimsten Tagträume von Wand- und Deckenlustern ausgeleuchtet. Ihrem Bruder Ali war es zu hell, er verweigerte sich dem Licht und zog sich in Dunkelkammern zurück. Mama kämpfte verbissen gegen den Konkurs und ihre eigene erdrückende unternehmerische Unlust. Vater zog bereits schummrigere Lokale vor. Die beiden hatten sich im guten Einvernehmen getrennt. »Gutes Einvernehmen« war der grausamste Ausdruck, den Judith kannte. Er hieß, Tränen auf lachend nach oben gekrümmten Lippen trocknen und versteinern zu lassen. Irgendwann wurden einem die Mundwinkel so schwer, dass sie absackten und für immer unten blieben, wie bei Mama.

Mit dreiunddreißig übernahm Judith das marode Lampengeschäft. In den vergangenen drei Jahren hat es wieder zu funkeln begonnen, nicht so schillernd wie zu Opas Glanzzeiten, aber Verkauf und Reparatur liefen gut genug, um Mama dafür zu entlohnen, dass sie daheim blieb. Das war das eindeutig beste Einvernehmen, in dem sich Judith bisher von irgendjemandem getrennt hatte.

Der Dienstag nach Ostern verging für sie bei außergewöhnlich ruhigem Geschäftsgang hauptsächlich im Hinterzimmer unter dem matten Licht der Bürolampe und war reine Pflichtübung, die ihr die Buchhaltung vorschrieb. Von Bianca hörte man zwischen acht und sechzehn Uhr nichts, wahrscheinlich schminkte sie sich gerade. Um zu beweisen, dass sie an diesem Tag jedenfalls anwesend war, schrie sie knapp vor der Sperrstunde plötzlich: »Frau Cheeeefin!« Judith: »Bitte! Nicht so laut! Kommen Sie her, wenn Sie mir was sagen wollen.« Bianca, jetzt neben ihr: »Da ist ein Mann für Sie.« Judith: »Für mich? Was will er?« Bianca: »Guten Tag sagen.« Judith: »Ah.«

Es war der Bananenmann. Judith erkannte ihn erst am Inhalt seiner Worte. Er: »Ich wollte Ihnen nur guten Tag sagen. Ich bin der, der Ihnen vor Ostern im ›Merkur‹ auf die Ferse gestiegen ist. Ich hab Sie in der Früh hier hineingehen gesehen.« Judith: »Und da haben Sie bis jetzt darauf gewartet, dass ich wieder herauskomme?« Sie kicherte unabsichtlich. Sie hatte das Gefühl, gerade ziemlich witzig gewesen zu sein. Auch der Bananenmann lachte, sehr schön sogar, mit zwei funkelnden, von hundert kleinen Fältchen umsäumten Augen und ungefähr sechzig strahlend weißen Zähnen. Er: »Ich hab hier nur ein paar Ecken weiter mein Büro. Da dachte ich …« Sie: »Sie sagen guten Tag. Das ist nett. Mich wundert, dass Sie mich erkannt haben.« Das hatte sie überhaupt nicht kokett, sondern völlig ernst gemeint. Er: »Das braucht Sie wirklich nicht zu wundern.« Jetzt sah er sie seltsam an, seltsam verklärt für einen Familienvater mit acht Bananen. Nein, das waren nicht die Momente, mit denen Judith etwas anzufangen wusste. Unter den Wangen wurde ihr heiß. Sie musste noch dringend einen Anruf erledigen, erkannte sie an den Zeigern ihrer Armbanduhr. Er: »Na dann.« Sie: »Ja.« Er: »Hat mich sehr gefreut.« Sie: »Ja.« Er: »Vielleicht sieht man sich wieder.« Sie: »Wenn Sie einmal eine Lampe brauchen.« Sie lachte, um die Situationstragik ihrer Bemerkung zu überlagern. Bianca kam dazu, diesmal zum günstigsten aller Zeitpunkte. »Darf ich, Frau Chefin?« Sie meinte, dass es Zeit war, nach Hause zu gehen. Auch für den Bananenmann war das das Signal zum Aufbruch. Bei der Tür drehte er sich noch einmal um und winkte wie am Bahnhof, aber nicht wie zum Abschied, sondern wie einer, der jemanden abholte.

4.

Am Abend dachte Judith ein paar Mal flüchtig an ihn, nein, nicht flüchtig, aber an ihn. Wie hatte er gesagt? »Das braucht Sie nicht zu wundern.« Oder hatte er sogar gesagt: »Das braucht Sie wirklich nicht zu wundern«? Und hatte er dabei nicht »Sie« betont? Doch, er hat »Sie« betont. Er hat gesagt: »Das braucht SIE wirklich nicht zu wundern.« SIE im Sinne von: »So eine Frau wie Sie.« Nett, irgendwie, dachte Judith. Er hat vielleicht sogar gemeint: »Das braucht SIE, eine Frau, die so aussieht wie Sie, eine so schöne, interessante Frau«, hat er gemeint, »so eine wunderschöne Frau, so eine atemberaubend schöne, intelligent aussehende, kluge, coole Frau, ja so eine Frau wie SIE«, hat er gemeint, »so eine Frau braucht das wirklich nicht zu wundern«, dass er sie erkannt hat. Sehr nett, irgendwie, dachte Judith.

»So eine Frau wie Sie«, hat er nämlich gemeint, »so eine Frau, die sieht man einmal«, zum Beispiel wenn man ihr gerade in der Käseabteilung die Ferse zertrümmert hat, »die sieht man einmal und man kriegt sie nie wieder aus dem Sinn und schon gar nicht aus den Sinnen«, hat er gemeint. Eigentlich sehr, sehr nett, irgendwie, dachte Judith.

Sie wollte schon aufhören, daran zu denken, weil sie keine zwanzig mehr war, weil sie die Männer kannte und nicht mehr so leicht bereit war, in ihren Vorstellungen vom Plural abzuweichen, und weil sie bei Gott Wichtigeres zu tun hatte, weil sie gerade die Kaffeemaschine entkalken wollte, aber einmal dachte sie noch daran, nur ganz kurz, wie er das »Sie« betont hat, das »Sie« von »Das braucht SIE wirklich nicht zu wundern«. War es das »Sie« von »So eine Frau wie Sie«? Oder klang es nicht noch spezifischer und gewählter nach »Sie«, im Sinne von: »SIE. SIE. JA SIE! Einzig und alleine SIE.« Dann hat er wohl gemeint: »Jede Frau der Welt hätte das wundern dürfen, jede, nur nicht SIE, denn SIE, Sie sind nicht nur keine Frau wie alle anderen, nein, Sie sind eine Frau wie keine andere. Und SIE, SIE, JA SIE! Einzig und alleine SIE«, hat er gemeint, »braucht das wirklich nicht zu wundern«, dass er sie erkannt hat. Eigentlich sehr, sehr nett, ja sehr sogar, dachte Judith. Doch leider, daran war nicht zu rütteln: Es HAT sie tatsächlich gewundert, dass er sie erkannt hat. Und darum ging es. Und deshalb entkalkte sie jetzt die Kaffeemaschine.

Am nächsten Tag kam er ihr nur noch ein einziges Mal, zwangsläufig, in den Sinn. Bianca behauptete plötzlich: »Frau Chefin, ich hab was bemerkt.« Judith: »Echt? Da bin ich aber neugierig.« Bianca: »Der Mann steht volle auf

Sie.« Judith, und das war hohe Schauspielkunst: »Welcher Mann?« Bianca: »Na, der große, der das Büro in der Nähe hat, der guten Tag gesagt hat, der hat Sie bitte volle arg angeschaut.« Bianca schaukelte mit ihrem Kopf und ließ ihre hübschen dunklen Pupillen ein paar Runden kreisen. Judith: »Geh, Blödsinn, das bilden Sie sich ein.« Bianca: »Das bilde ich mir bitte überhaupt nicht ein! Der ist volle verliebt in Sie, Chefin! Checken Sie das nicht?« Das war laut und unverschämt, aber ausgerechnet Bianca konnte sich bei ihr so etwas leisten, denn sie hatte keine Ahnung, dass sie es sich leisten konnte, sie tat es einfach. Judith schätzte ihre respektlose, reflexartige Aufrichtigkeit. Aber natürlich lag das Mädchen in diesem Fall vollkommen falsch. Der Mann stand nämlich überhaupt nicht auf sie, so ein Blödsinn, Lehrmädchenphantasien. Er kannte sie ja gar nicht, nur die Ferse, sonst nichts von ihr, absolut nichts.

5.

Am Sonntag feierten sie Gerds vierzigsten Geburtstag, im »Iris«, einem schummrig beleuchteten Lokal, das ihn zehn Jahre jünger wirken lassen sollte. Gerd war beliebt. Von den fünfzig geladenen Gästen kamen achtzig. Zwanzig von ihnen wollten nicht generell auf Sauerstoff verzichten und übersiedelten deshalb, bei aller Wertschätzung für Gerd, in die benachbarte Phoenix-Bar, die dank eines Live-Klavierspielers beinahe leer war. Judith war eine von ihnen.

Als überaus anhänglich erwies sich ein bedeutungslos gewordener Mann von erfreulich viel früher, Jakob hieß er, schade, dass dieser schöne Name nun ewig sein Gesicht tragen würde. Mit ihm war eigentlich längst alles besprochen (oder ausgeschwiegen). Nach drei Jahren zwischenmenschlicher Beziehung, und mehr als dazwischen war sie nie, hatte sich Judith gezwungen gesehen, selbige zu beenden. Der Grund: Jakob hatte eine hartnäckige Lebenskrise – namens Stefanie, die er bald danach heiratete.

Aber das lag schon sechs Jahre zurück, und deshalb war Jakob an jenem Abend im »Phoenix« wieder objektiv genug zu bemerken, dass es keine schöneren Lippen gab als jene Judiths. Diese formten sich sogleich zur Frage: »Und was ist mit Stefanie?« Jakob: »Stefanie?« Der Name schien ihm in diesem Zusammenhang sehr weit hergeholt. Judith: »Warum ist sie nicht hier?« Jakob: »Sie ist zu Hause geblieben, sie macht sich nicht viel aus solchen Festen.« Wenigstens war sie daheim nicht allein, Felix (4) und Natascha (2) unterhielten sie sicher gut. Judith bestand darauf, Fotos von den Kleinen zu sehen, wie sie jeder halbwegs bekennende Papa in der Brieftasche mitführte. Jakob wehrte sich eine Weile, zeigte die Bilder aber schließlich her. Danach war er entspannt genug, nach Hause zu gehen.

Judith wollte sich gerade einer an der Bar gegründeten Kriseninterventionsgruppe im Kampf gegen die globale Erwärmung zuwenden, da tippte ihr jemand, unangenehm kurz und punktuell, von hinten auf die Schulter. Sie drehte sich um und erschrak. Das war ein Gesicht, das nicht hierhergehörte. »So eine Überraschung«, sagte der Bananenmann. Judith: »Ja.« Er: »Ich dachte noch, ist sie es oder ist sie es nicht?« Judith: »Ja.« Sie meinte, sie war es. Und sie fühlte sich in beklemmender Weise und unter heftigen Herzschlägen dabei erwischt. Jetzt half nur noch eines, jetzt musste sie reden. »Was machen SIE hier? Ich meine, was führt Sie hierher? Kennen Sie Gerd? Gehören Sie auch zum Geburtstagsfest? Sind Sie öfter hier? Sind Sie Stammkunde? Spielen Sie Klavier? Sind Sie der neue Pianist?« Einige dieser Fragen stellte sie, andere dachte sie nur. Darunter auch: »Haben Sie mich hier hineingehen gesehen?« Und: »Wollten Sie mir nur guten Tag sagen?«

Nein, er war mit zwei Kolleginnen hier, erklärte er. Sie saßen ein paar Meter weiter an einem runden Tisch im gelben Licht eines zu tief hängenden wuchtigen Lampenschirms aus den achtziger Jahren. Er zeigte hin, sie winkten her, Judith nickte ihnen zu. Sie sahen zweifelsfrei nach Kolleginnen aus, kolleginnenhafter als die beiden konnte man eigentlich gar nicht aussehen. Wahrscheinlich war es der monatliche Jour fixe einer Steuerberaterkanzlei, aufgelockert durch flotte Barpianomusik.

Der Bananenmann hieß Hannes Berghofer oder Burghofer oder Burgtaler oder Bergmeier, hatte eine große, warme rechte Handinnenfläche und einen derart durchdringenden Blick, dass sich sogar Judiths Nieren davon berührt fühlten. Sie spürte wieder, wie ihre Wangen von innen nach außen heiß wurden. Und dann sagte er auch noch: »Ich freue mich, Sie so oft zu sehen. Wir scheinen momentan irgendwie im gleichen Rhythmus zu leben.« Und dann fragte er auch noch: »Wollen Sie sich ein bisschen zu uns setzen?« Da musste Judith leider passen. Sie wollte nämlich gerade das Lokal wechseln, weil drüben im »Iris« das eigentliche Geburtstagsfest ihres Freundes, also ihres guten Bekannten Gerd stattfand. »Aber ein andermal gerne«, sagte sie, was immer ihr dabei eingefallen sein mochte. So offensiv war sie schon lange nicht gewesen.

»Vielleicht darf ich Sie ja einmal auf einen Kaffee einladen«, meinte daraufhin Berghofer oder Burghofer oder Burgtaler oder Bergmeier. »Ja, warum nicht«, erwiderte Judith, weil es auch schon egal war. Die Hitze hatte nun die äußerste Schicht ihrer Wangen erreicht. Sie musste jetzt wirklich gehen. Er: »Gut, gut.« Sie: »Ja.« Er: »Na dann.« Sie: »Ja.« Er: »Und was den Kaffee betrifft, da komme ich einfach irgendwann bei Ihnen im Geschäft vorbei, wenn es recht ist.« Sie: »Ja, tun Sie das.« Er: »Ich freue mich.« Sie: »Ja.«

6.

»Irgendwann« war am nächsten Morgen. Bianca rief: »Frau Cheeefin, Besuch!« Judith wusste sofort, was das zu bedeuten hatte. Hannes mit »Berg« oder »Burg« im Nachnamen blieb unter einem ihrer wertvollsten Stücke stehen, unter dem monströsen ovalen Kristallluster aus Barcelona, den seit fünfzehn Jahren jeder bewunderte und keiner kaufte. »Ich hoffe, ich störe Sie nicht«, sagte er. Er trug eine blaue Strickjacke mit hellbraunen Knöpfen und sah aus wie einer, der jeden Abend am offenen Kamin saß, Earl Grey trank und mit seinen Zehen das dichte Fell eines übergewichtigen Bernhardinerrüden massierte, während die Kinder um ihn herumtollten und ihre Bananenfinger am Sofa abwischten.

Judith: »Nein, Sie stören nicht.« Sie ärgerte sich, dass sie so aufgeregt war, es gab keinen logischen Grund dafür, ehrlich nicht. Sie fand diesen Mann nett, aber vordergründig überhaupt nicht spannend, und an Hintergründiges dachte sie bei Männern prinzipiell nur noch selten. Er war keineswegs ihr Typ, wobei sie zugeben musste, dass sie ihre Typen ohnehin nicht mehr kennenlernen musste, denn kannte man einen, kannte man alle.

Sie wusste nicht genau, was den Reiz des Herrn Hannes mit »Berg« oder »Burg« im Nachnamen ausmachte, vielleicht einfach nur die Dynamik, mit der er den Zufall nach ihr auszurichten verstand, die Unverhofftheit, in der er auftauchte, immer viel früher, als mit ihm zu rechnen war, und die Zielstrebigkeit, mit der er auf sie zuging, als gäbe es für ihn nichts und niemand anderen auf der Welt, nur sie.

Er durfte jetzt aber bitte nicht mit einem Kaffeetreffen daherkommen, das wäre wirklich zu früh gewesen, das hätte sie als Aufdringlichkeit empfunden, da hätte sie ihn leider sofort zurückweisen müssen, in aller Deutlichkeit. Sie hatte keine Lust, die erste Anlaufstelle für einen möglicherweise ein bisschen notgeilen Familienvater zu sein, dessen Frau daheim inzwischen blaue Westen strickte und hellbraune Knöpfe daraufnähte.

Er: »Ich will wirklich nicht aufdringlich sein.« Sie: »Aber nein, das sind Sie nicht.« Er: »Es ist nämlich so, es geht mir seit gestern Abend einfach nicht mehr aus dem Sinn.« Sie: »Was?« Er: »Sie, wenn ich ehrlich bin.« Wenigstens war er ehrlich, dachte sie. Er: »Ich würde Sie schrecklich gerne auf einen Kaffee einladen und ein bisschen mit Ihnen plaudern, einfach nur so. Haben Sie heute nach Geschäftsschluss schon etwas vor?« – »Nach Geschäftsschluss?«, fragte Judith, als wäre das der absurdeste Zeitpunkt gewesen, der ihr je zu Ohren gekommen war. Sie: »Ja leider, da habe ich schon etwas vor.«

Doch wie traurig er schaute, wie niedergeschlagen er die Schultern hängen ließ, wie tief er seufzte, wie verletzt er wirkte, wie ein kleiner Schulbub, dem man den Ball weggenommen hatte. Sie: »Aber ich kann das vielleicht ein wenig aufschieben. Ein schneller Kaffee, nachdem ich zugesperrt habe, das müsste sich schon irgendwie ausgehen.« Zur Sicherheit schaute sie noch einmal auf ihre Uhr. »Oh doch, ich denke, das ließe sich einrichten«, sagte sie.

»Das ist schön, das ist schön«, erwiderte er. Ja, das musste sie sich schon eingestehen, es war eine Freude, ihm beim Ausbreiten dieses Lachens zuzusehen, mehr noch, die Produzentin jener Dutzenden Fältchen zu sein, die sich, vom Licht ihres Lieblingslusters aus Katalonien widergespiegelt, wie Sonnenstrahlen um seine Augen legten.

7.

Sie trafen sich beim »Rainer«, ihrem Mittagspausen-Café, in der Märzstraße. Judith erschien zehn Minuten vor der vereinbarten Zeit. Sie wollte unbedingt zuerst da sein, um einen Tisch auszusuchen, an dem man einander auf Stühlen gegenübersaß und sich nicht in einer Nische aneinanderquetschen musste. Aber er saß schon da, auf einem unbequemen Stuhl gegenüber einer einladenden Eckbank, die feinerweise für sie allein bestimmt war.

Das Treffen war für eine Stunde anberaumt, was sich als zu knapp bemessen erwies. Danach ging es in die Verlängerung, der eine kurze Zugabe folgte. Dann setzte Judith der Begegnung ein taktisches Ende. Ihr Schlusswort: »Es war wirklich total angenehm, mit dir zu plaudern, Hannes. Das können wir gern wieder einmal machen.« Wie er sie dabei ansah, das wollte sie sich einprägen, um es abrufen zu können, wenn sie sich selbst wieder einmal so gar nicht gefiel. Und was er in diesen neunzig Minuten zu ihr und vor allem über sie gesagt hatte, das musste sie erst einmal verdauen. Jedenfalls freute sie sich auf das Danach, ungestört mit sich allein daheim, mit sich und den Gedanken an eine nette Neuentdeckung, einen Mann, der sie auf einen reich verzierten, im schönsten Licht erscheinenden Thron gesetzt hat. So hoch oben war sie schon lange nicht mehr gesessen. Auf diesem Platz wollte sie wenigstens ein paar Stunden verweilen, bis der Alltag sie wieder auf den Boden zurückholte.

8.

In der Badewanne fasste sie zusammen: Er baute Apotheken um, und wenn sie sich nicht umbauen ließen, dann baute er sie eben neu, zumindest zeichnete er die Entwürfe. Er war Architekt. Er war 42 Jahre alt. Er war noch nie beim Zahnarzt gewesen, das schöne Gebiss hatte er von seiner Großmutter, also nicht das Gebiss selbst, sondern die Veranlagung dazu.

Er war, wie gesagt, 42 Jahre alt und ledig, nicht schon wieder ledig, sondern noch immer ledig, das hieß: Er war noch nie verheiratet und deshalb auch noch nie geschieden.

Er war für niemanden sorgepflichtig, das bedeutete, er hatte keine Kinder, auch keine Kleinkinder und auch keine Babys, und das noch dazu aus keiner einzigen Ehe. »Für wen sind dann diese Unmengen von Bananen? Isst du die alle selbst?«, hatte sie ihn gefragt. Da war er kurz zusammengezuckt. Hatte sie ihn beleidigt, war sie zu indiskret gewesen, hatte er einen Bananentick? – Aber dann ließ er Omas Gebiss aufblitzen und stellte die Dinge klar: Die Bananen gehörten seiner gehbehinderten Nachbarin, verwitwete Mutter dreier Kinder. Einmal in der Woche erledigte er Einkäufe für sie. Er machte das unentgeltlich, ohne Gegenleistung, einfach so, weil er selbst auch gerne Nachbarn hätte, die ihm helfen würden, wenn es ihm schlecht ging, hatte er gemeint.

Er war, wie gesagt, 42 Jahre alt und hieß definitiv Hannes Bergtaler. »Bergtaler«, pustete Judith in den Badeschaum. Was war von einem ledigen Apotheken-Umbauer im dritt-besten Alter zu halten, der seine Höhen und Tiefen bereits im Namen trug? Roch das nicht förmlich nach einer ausge-glichenen Persönlichkeit? Wirkte er deshalb auf den ersten Blick ein wenig langweilig? War er denn langweilig? War ihr denn langweilig mit ihm gewesen? – Keine Sekunde, dachte sie. Das sprach für die Qualität der Sekunden, die sie soeben mit ihm verbracht hatte, und zweifelsfrei auch für ihn selbst, für Hannes Bergtaler, den ledigen Apotheken-Umbauer mit Omas prächtigem Gebiss im Mund.

So, und nun der Reihe nach: Als er ihr auf die Ferse ge-stiegen war und ihr Gesicht gesehen hatte, hatte es offenbar zwei Stiche gegeben, einen spürte sie in ihrer Ferse, der zweite ging ihm angeblich durch Mark und Bein. »Ich habe dich gesehen, Judith, und ich war wie von den Socken«, hat er gesagt. »Wie von den Socken« war zwar jetzt nicht gerade ihre Lieblingsmetapher, denn Socken haftete stets etwas Anrüchiges und Unerotisches an, aber so, wie er sie dazu anblinzelte, mit diesen vielen Sonnenstrahlenfältchen unter einer matten 60-Watt-Glühbirne im Café Rainer, das war schon nett, irgendwie, ja, sehr nett sogar.

»Und dann habe ich dich einfach nicht mehr vergessen können«, konnte sie sich erinnern, hat er gesagt. »Einfach nicht mehr vergessen können« war – ja, doch, ein Kompliment, ein nettes Kompliment. Judith ließ noch etwas heißes Wasser in die Badewanne ein, denn das Kompliment war wirklich außerordentlich nett.

Was sie denn auf Anhieb so unvergesslich für ihn gemacht hatte? »Dieses Bild, als du dich zu mir gedreht hast, dieser Drei-Sekunden-Film, die Bewegung der Schulter, deine angehobenen Augenbrauen, der gesamte Ausdruck im Gesicht«, hat er gesagt, »verzeih mir dieses banale Wort, aber ich fand dich einfach umwerfend.« Banal war es wirklich, das Wort, aber sie hatte schon schlimmere Beschreibungen von sich gehört als »umwerfend«, dachte sie. Vielleicht sollte sie sich öfter auf die Ferse steigen lassen.

Und dann hatte er einen Film nach dem anderen mit ihr erlebt. Regisseur: der pure Zufall. Produzentin: die höhere Bestimmung. Sie, an die er unentwegt gedacht hatte, sperrte plötzlich vor seinen Augen das benachbarte Lampengeschäft auf, vor dessen Auslage er schon so oft gestanden war. Sie, von der er seinen Kolleginnen gerade erst vorgeschwärmt hatte, stand plötzlich an der Bar im gleichen Lokal und wimmelte einen ihrer sicher zahlreichen Verehrer ab. Diese Chance, auf sie zuzugehen und mit ihr ins Gespräch zu kommen, konnte er sich nicht entgehen lassen. – Ja, das sah sie ein. Andererseits hatte er große Angst, aufdringlich zu erscheinen. – Ja, diese Angst war an sich berechtigt. Er hatte aber nicht das Gefühl, dass sie ihn grundsätzlich ablehnte. – Grundsätzlich nicht, da hatte er recht.

Sie stieg aus der Badewanne. Die große Hitze war bereits vorbei. Judith konnte wieder kühler denken. Dieser Hannes Bergtaler war einfach mächtig verschossen in sie. Das konnte vorkommen. Das konnte auch rasch wieder vorbeigehen. Daran ließ sich gelegentlich ein Treffen im Kaffeehaus anknüpfen. Sie mochte ihn gern. Seine Nasenspitze gefiel ihr. Er wirkte aufrichtig, entwaffnend ehrlich. Er sagte unglaublich nette Sachen. Er sagte geradeheraus, was er fühlte. Das tat ihr gut, ziemlich gut sogar.

Und wenn sie sich vorstellte, dass ihr gerade jemand die Ferse eingetreten hatte, und sie drehte sich zum Spiegel und funkelte ihn an, als wäre er der Täter, dann sah sie, ja, plötzlich, selbst mit nassem Haar und einer drei Zentimeter dicken Schicht Creme im Gesicht: eine umwerfende Frau. Und das war sein Verdienst.

Phase zwei

1.

Auf Judiths kleiner Dachterrasse blühte erstmals nach drei Jahren wieder das Hibiskus-Bäumchen, knallrot. Das waren gute Wochen. Es war etwas im Entstehen. Es entstand täglich neu und nahm alles eben erst Entstandene mit. Judith versuchte, die Anzahl der Begegnungen mit Hannes so gering wie möglich zu halten, also nicht fünfmal am Tag, was in seinem Sinne gewesen wäre, sondern nur ein- oder zweimal. Sie hatte Angst, der Reiz könnte für ihn verlorengehen, er hätte sich bald sattgesehen an ihr, ihren Drehbewegungen und Gesichtsausdrücken, Angst, er wüsste nicht mehr, welche Blumen er ihr noch schenken, welche Botschaft in Briefchen- oder E-Mail-Form er ihr noch zukommen lassen, welches Kompliment er ihr noch machen sollte und mit welchen Worten er ihr per SMS noch »guten Morgen« oder »gute Nacht« wünschen könnte.

Judith fand sich in einer neuen Situation. Nicht sie war es, die sich wieder einmal mehr von einem Mann erwartete, als dieser schon im Ansatz zu geben bereit oder fähig zu sein schien. Nein, da war nun ein Mann, der es offensichtlich nicht erwarten konnte, ihre Erwartungen zu erfüllen. Nun schraubte sie diese ihre Erwartungen so weit wie möglich herunter, damit der Vorrat seiner Erfüllungen noch lange reichen würde. Mit etwas Glück konnte sie damit erfüllt über den Sommer gelangen. Erfüllt von Hannes Bergtaler: 1,90 groß, 85 Kilo schwer, wuchtig, ungelenk, 42, ledig, sonnenfältchenäugig, ausgestattet mit Omas blendendem Gebiss.

Vieles an ihm fiel ihr auf, nichts davon störte sie. Nicht sein Wortwitz, der die Pointen voranstellte und die Vorgeschichten erst nachher zu erzählen pflegte. Nicht sein gewöhnungsbedürftiger Begriff von Frühjahrsmode. Nicht seine sattsam ausgewaschenen Unterleibchen, die man beim besten Willen nicht als T-Shirts bezeichnen konnte. Nicht einmal seine alle paar Minuten wiederkehrende Lieblingsformel »Wie-von-den-Socken«. Judith hatte es bislang vermieden zu fragen, ob er nicht zufällig noch bei seiner (Socken stopfenden) Mutter lebte.

Er war ein anderer Typ als alle bisher, nicht ihrer und auch keiner, den sie von irgendeiner Frau her kannte. Er war schüchtern und wagemutig zugleich, verschämt und unverschämt, beherrscht und getrieben, auf tolpatschige Weise zielstrebig. Und er wusste, was er wollte: ihr nahe sein. Das war ein durchaus ehrenwertes Verlangen, dachte Judith. Sie nahm sich vor, behutsam damit umzugehen und nichts zu überstürzen. Sie wollte keine falschen Hoffnungen in ihm wecken. Hoffnungen schon, aber keine falschen. Welche die richtigen waren, würde die Zukunft der Gegenwart früh genug einflüstern.

Die späten Abende und Wochenenden fanden vorerst noch ohne ihn statt, zumindest physisch. So paradox es klang: Die Zeit ohne ihn zählte für Judith zu den schönsten und stärksten Zeiten mit ihm. Egal welcher ihrer gewohnten Tätigkeiten sie nachging, alles rückte in den Hintergrund, alles geschah wie unter dem Einfluss von Glücksdrogen. Ja, sie war erstmals, wenn auch vermutlich nur kurzfristig, ein rundum glücklicher sorgenfreier Single. Sie konnte tun, was sie wollte: an Hannes Bergtaler denken. Es war wundervoll, ihre Sehnsucht nach ihm beim Wachsen zu beobachten. Möglicherweise war es auch bloß ihre Sehnsucht nach seiner Sehnsucht nach ihr, die da wuchs, aber Sehnsucht blieb Sehnsucht, und Judith war endlich wieder einmal süchtig danach.

2.

Am zweiten Samstag im Mai war sie abends bei Ilse und Roland zum Revanche-Essen für Ostern eingeladen. Auch Gerd und das beharrlich Händchen haltende Paar Lara und Valentin waren wieder dabei. Es war warm genug, um auf der Terrasse zu sitzen. Die billigen und wenig originellen Gartenlaternen störten nicht weiter, vier dicke Partykerzen rund um den Tisch wärmten das elektrische Licht auf und gaben ihm Farbe.

Gegen acht Uhr, als Roland den mit Shrimps besetzten, von Avocado belegten und mit Koriander geschmückten »Gruß aus der Küche« auftrug, waren Mimi (4) und Billi (3), nach aufwühlender Beschlagnahme jedes einzelnen Besuchers, bereits müde und quengelig. Um zehn Uhr, als Ilse zum Abschluss die »kinderleichte Käsetorte« nach Jamie Oliver servierte, hatten sich die Kleinen endlich erfolgreich in den Schlaf geplärrt, und so etwas wie Unterhaltung für Erwachsene konnte entstehen.

»Es gibt Neuigkeiten«, sagte Judith unter Zuhilfenahme ihres dritten Glases Cabernet Sauvignon. »Wie heißt er?«, fragte Gerd. Er hatte sie beobachtet. Sie hatte kein Geheimnis daraus gemacht, ein schönes Geheimnis in sich zu tragen. »Er heißt Hannes, und er wird euch gefallen«, erwiderte Judith, leider viel zu enthusiastisch, was sich sogleich rächen sollte.

»Warum ist er nicht hier?«, fragte Ilse, beinahe fassungslos. Auch Roland wirkte gekränkt. Und plötzlich baute sich eine mit künstlicher Empörung geladene Stimmung auf, die in Gerds absurder Idee gipfelte, Judith könnte ihren Fehler wiedergutmachen und jenen Hannes, der allen gefallen würde, anrufen, um ihn spontan dazuzuladen. So neugierig waren sie auf ihn.

Judith wehrte sich heftig dagegen. Sie wollte ihn noch eine Weile nach Lust und Laune frei verfügbar im Kopf genießen und nicht bereits unverrückbar auf der Sitzbank neben sich haben. Es war auch kaum anzunehmen, dass er samstagnachts auf Abruf bereit war, sich von fremden Gastgebern an den Westrand Wiens locken zu lassen.

Aber schließlich gab sie dem Druck der Freunde nach und schickte Hannes, mehr als Geste als aus Verlockung, ein SMS, er möge doch zu der Gruppe dazustoßen, sie saßen gerade so nett beisammen, er wäre herzlich eingeladen, die Adresse lautete so und so. Sie tat dies in der Gewissheit, dass er sich nicht melden würde, dass er unterwegs oder beschäftigt war, dass er die Nachricht wahrscheinlich gar nicht registrieren würde, jedenfalls nicht früh genug, um zu kommen, selbst wenn er, was sie erst recht für ausgeschlossen hielt, tatsächlich nichts Besseres zu tun gehabt hätte.

Keine Minute später langte auf Judiths Handy die Meldung ein: »Vielen Dank für die Einladung!!! Bin in zwanzig Minuten da! Hannes.«

3.

An die folgenden Stunden hätte sich Judith später gerne genauer erinnert. Aber sie brauchte zwei weitere vollbauchige Gläser Rotwein, um die Wartezeit zu überstehen, um ihre für sie selbst unerklärlich große Nervosität zu ertränken. So reichte ihre Aufnahmefähigkeit gerade noch für die äußerst bizarre Begrüßungsszene.

Das Gespräch verstummte. Da stand er plötzlich vor ihnen, in brauner Cordhose, weißem Hemd, zugeknöpft bis zum Kragen, und hellblauem Pullunder, mindestens so euphorisch wie ein soeben aufgerufener bester männlicher Hauptdarsteller bei der Oscar-Verleihung. Sein breites Lachen überstrahlte mühelos die Gartenlichter, als er verkündete: »Ich bin der Hannes.« Judith hatte den Wunsch, sich zu verkriechen. Er beugte sich über den Tisch, drückte jedem fest die Hand, rückte ganz nah an ihre Gesichter, fixierte jedes Augenpaar, wiederholte jeden Namen, mit einer Bedächtigkeit, als ginge er daran, über jeden Einzelnen von ihnen eine Studie zu verfassen.

Noch immer deutete nichts darauf hin, dass Judith für ihn anwesend war, am wenigsten sie selbst. Aus einem Jutesack holte er zwei gelbe Schachteln: möglicherweise Schokobananen. »Für die Kleinen«, sagte er. Woher wusste er, dass die Gastgeber zwei Kinder hatten? Hatte Judith ihm überhaupt schon einmal von Ilse und Roland erzählt? Hatte sie Mimi und Billi erwähnt? Das hatte er sich tatsächlich gemerkt?

Für Ilse zauberte er ein Fläschchen Olivenöl aus der Tasche und beließ es bei der flüchtigen Bemerkung: »Meiner Meinung nach das beste in ganz Umbrien, extrem fruchtig, ich hoffe, ihr mögt es.« Roland drückte er schließlich eine Flasche goldgelben Inhalts, vermutlich Whiskey, in die Hand. Dazu sprach er getragen, als wollte er ein Muttertagsgedicht aufsagen: »Nochmals herzlichen Dank für die liebe Einladung.« Man mochte meinen, er war vor zwanzig Jahren das letzte Mal Gast gewesen und hatte sich auf den Wiedereinstieg in das gesellschaftliche Leben mindestens drei Wochen vorbereitet.

Jetzt erst drehte er sich demonstrativ zu Judith, holte sie aus ihrem Schattenversteck, umfasste sie mit beiden Händen. Sie spürte einen leichten Druck nach oben, der sie dazu veranlasste aufzustehen. So stand er nun vor ihr, fast zwei Kopf größer, eine Armlänge von ihr entfernt, seine Hände auf ihren Schultern, und betrachtete sie mit einer Ergriffenheit, als wäre sie der weltweit erste Sonnenaufgang im Meer, der sich anfassen ließ. Und nach einer beinahe unerträglich langen Pause, in der ihr die Knie bedenklich weich wurden und der Alkohol im Kopf erste Schleudergänge einlegte, sagte er, für alle anderen gut vernehmbar: »Judith, ich freu mich so sehr, dich heute noch zu sehen. Du kannst dir gar nicht vorstellen, wie sehr!«

An dieser Stelle endeten nicht nur sämtliche ihrer Vorstellungen des Abends, sondern der gesamte Film. Ab da lief nur noch der Nachspann, bis in den frühen Morgen. Judith hatte noch ein paar lichte Momente, die sie dazu nutzte, ihr

Weinglas zu den Lippen zu führen. Die Gesichter rund um sie verschwammen und verschwanden der Reihe nach. Einzig Hannes tauchte immer wieder von neuem auf. Einmal weit weg, dann wieder ganz nah bei ihr. Einmal roch sie seinen Atem, dann blitzte von der Ferne Omas Gebiss. Wo seine tiefe Stimme dröhnte, gab es Bewegung, Gemurmel und Gelächter.

Irgendwann wachte sie auf, weil sie plötzlich kein Geräusch mehr vernahm, und Hannes war die Wand, an der sie lehnte. Ob ihr übel war? Wie sollte sie das wissen? Sie war zu wenig bei sich, um es zu beurteilen. Irgendwann öffnete sich ein Seitenfenster und der Wind blies ihr angenehm kühl ins Gesicht. Und irgendwann hielt das Taxi, in dem sie untergebracht war, vor ihrem Haustor. Hannes stieg mit ihr aus, stützte sie. Es war angenehm, seine Stimme zu hören. Es roch nach Stiegenhaus. Im Aufzug drückte er das »D«, das ins Dachgeschoss führte. Sie gab ihm die Handtasche, der Schlüssel klimperte. Sie spürte seine Cordhosen-Beine an ihren, und ihre Wange streifte über seinen weichen Pullunder. Die Tür ließ sich problemlos aufsperren und öffnen, ehe sie hinter ihr ins Schloss fiel. Dann war es finster und still. Und das Bett kam auf halbem Wege auf sie zu.

4.

Der Sonntag begann gegen elf Uhr vormittags. Judith bemerkte, dass sie halbnackt war, torkelte aus dem Bett und suchte das schikanös brummende Handy. Der Menschenrechtsbrecher hieß Gerd. Er fragte: »Wie geht es dir?« Judith: »Keine Ahnung.« Er: »Bist du gut nach Hause gekommen?« Sie: »Wahrscheinlich.« Er: »Bist du nicht allein?« Sie: »Doch, ich glaube schon.« Er: »Soll ich später anrufen?« Sie: »Nein.« Sie meinte: weder jetzt noch später.

Er: »Was war das gestern mit dir?« Sie: »Was?« Er: »Du hast dich ordentlich zugeschüttet.« Sie: »Ich?« Er: »Jedenfalls warst du ziemlich betrunken.« Sie: »Das tut mir leid, war keine böse Absicht.« Er: »Bist du so sehr verliebt?« Sie: »Verliebt? Ich weiß nicht.« Er: »Soll ich dir verraten, was ich von Hannes halte, so auf den ersten Eindruck?« Sie: »Ja, von mir aus.« Er: »Willst du's wirklich wissen?« Sie: »Nein, lieber nicht.«

Er: »Hannes ist suuu-per!« Sie: »Ehrlich?« Er: »Ja, wir sind alle schwer begeistert von ihm, und zwar in jeder Hinsicht. Er ist offen, freundlich, herzlich, aufmerksam. Er hat was zu sagen. Er ist witzig.« Sie: »Ehrlich?« Er: »Judith, Judith, da hast du einen Volltreffer gelandet.« Sie: »Echt?« Er: »Du hast ja nur die Hälfte mitbekommen, aber weißt du, wie lieb er zu dir war?« Sie: »Nein, aber so ist er immer.« Er: »Er vergöttert dich.« Sie: »Ja?« Er: »Ich sage dir, er ist das Beste, was dir passieren konnte.« Sie: »Glaubst du?« Er: »Wenn ich eine Frau wäre, dann wünschte ich mir genau so einen Mann zum Partner.« Sie: »Ja?« Er: »Hat er dich nach Hause begleitet?« An dieser Stelle entstand eine kurze Pause. Er: »Judith, bist du noch da?« Sie: »Gerd, ich glaube, ich lege mich jetzt besser wieder nieder.«

Sie fand die Taste mit dem winzigen roten Telefon, überließ das Handy sich selbst, trottete ins Badezimmer, warf sich den schwarzen Frotteemantel über, schaute ins

WC, dann in die Küche, ins Wohnzimmer, ins Schlafzimmer – nichts. Sie öffnete den Kleiderschrank, warf einen Blick unters Bett und tastete die Matratze ab, studierte den Faltenwurf des Leintuchs, ehe sie den Mantel ablegte, sich unter der Decke verkroch und durchatmete. Hannes war eindeutig nicht da. Und Hannes war auch niemals da gewesen, das hätte sie gerochen, das hätte sie gespürt, da wäre sie dabei gewesen, wie betrunken auch immer. Jetzt konnte sie schlafen. Jetzt wollte sie von ihm träumen.

5.

Aus dem Hannes-Traum wurde zwar nichts, aber um drei Uhr nachmittags war Judith ausgeschlafen und hungrig und ließ sich vom Pizza-Service eine »Quattro Stagioni« bringen. Der Bote überreichte ihr zudem einen riesigen Blumenstrauß. »Ist leider nicht von mir, lag auf der Türmatte«, sagte er. Es waren fünfundzwanzig dunkelrote Rosen. Auf dem Papier klebte ein Brief. Judith öffnete ihn und las: »Für die wundervollste Frau, die ich jemals bis zur Haustür bringen durfte, ohne dass sie es gemerkt hat. In Liebe, Hannes.«

Jetzt war Judith sozusagen von den Socken, beschloss, die versäumte Nacht aufzuarbeiten, rief einen nach dem anderen an und holte sich folgende Meinungen und Ansichten über Hannes Bergtaler ein. Ilse: Fescher Mann. Wirkt sehr natürlich. Großer Kopf. Zahnpasta-Lachen. Liebling aller Schwiegermütter. Modisch eher konservativ. Bürstenfrisur passt ihm nicht optimal. Prinzipientreu. Ein bisschen schrullig, aber nicht verklemmt. Kann einer Frau tief in die

Augen schauen. Kann gut zuhören. Mag Kinder. Hat sich lang und breit nach Mimi und Billi erkundigt. Hat ihnen sogar etwas mitgebracht. Ist ganz ein Lieber. Ist ein Riesenbärli. Und, das Wichtigste: »Wahnsinnig in dich verliebt.« Judith: »Ehrlich?« Ach, sie hörte es so gern. »Ja echt, er hat die ganze Zeit nur von dir geschwärmt.«

Roland: Ein echter Sympathieträger. Absolut vertrauenswürdig. Hat nichts Verschlagenes in seiner Art. Geht offen und herzlich auf alle zu. Sehr redegewandt. Große Überzeugungskraft. Hat viel Interessantes über Architektur erzählt. Und: »Er hat dich nicht aus den Augen gelassen.« Judith: »Echt nicht?« Roland: »Er ist vernarrt in dich.« Judith: »Vernarrt?« Roland: »Absolut.«

Valentin: Ein Gefühlsmensch. Eigentlich kein typischer Mann. Nicht so lässig. Kein Angeber. Eher weich. Judith: »Weich?« Valentin: »Nein, weich eigentlich auch nicht. Er weiß schon genau, was er will.« Judith: »Ja?« Valentin: »Er steht auf dich.« Judith: »Ja, ich weiß.« Valentin: »Und wie.«

Lara: »Er hat mich immer so angesehen.« Judith: »Wie?« Lara: »So lieb, so vertrauensvoll, wie ein großer Bruder, so als würden wir uns schon in- und auswendig kennen. Und zu Valentin hat er gesagt, dass er es schön findet, wenn zwei so fest zusammengehören und es auch zeigen. Und dass er so froh ist, dass er uns kennengelernt hat. Und ob du immer so viel trinkst. Und dass er uns auch alle einmal einladen möchte. Und dass du seine Traumfrau bist.« Judith: »Traumfrau?« Lara: »Ja, das hat er gesagt, wortwörtlich. Und wie küsst er?« Judith: »Bitte?« Lara: »Ist es schön, ihn zu küssen?« Judith: »Ah so, küssen. Ja, sicher. Sehr schön sogar.« Wahrscheinlich sehr schön.

6.

Der folgende Freitag einer Arbeitswoche, die aus acht Zwischendurch-Treffen mit Hannes bestanden hatte – drei Tassen Kaffee, zwei Schalen Tee, zwei Flöten Prosecco, ein Glas Campari-Orange, tausend Pokale Komplimente –, war mit 28 Grad der bisher wärmste Tag des Jahres. Judith hatte es mit großem mentalem Aufwand irgendwie achtzehn Uhr werden lassen. Sie duschte kalt und überlegte, zum ersten Mal seit Carlo, also seit knapp sechs Monaten, welche Unterwäsche sie anziehen sollte. Allerdings erwischte sie sich bei diesem Gedanken und hasste sich dafür. Nein, eigentlich hasste sie Carlo für die vielen verlorenen Nächte, sie selbst genierte sich für ihre gelegentlichen Rückfälle in die Unterwürfigkeit. Jedenfalls schieden alle für Carlos Augen gemachten Modelle wieder aus, und es wurde eine der weißen, nierenschonenden Wellness-Kombinationen, die Judith auch immer für Frauenarzt Doktor Blechmüller wählte.

Ihre kastanienbraunen Augen, wegen denen man sie oft mit einem Reh verwechselte, schminkte sie dezent wie immer. Ihre Lippen ernteten eine dünne Schicht rötlich schimmernden Lavendelhonigbalsams. Die naturblonden Haare – warum eigentlich »naturblond«, war die Natur blond? – föhnte sie so lange aufwendig durcheinander, bis die Frisur endlich perfekt zerstört aussah. »Frech«, las man dazu in einschlägigen Haartracht-Magazinen. Jeans und T-Shirt lagen schon seit zwei Tagen für den Anlass bereit. Mit ihrer neuen schicken schwarzen Lederjacke und den coolen Schnür-Stiefeletten wollte sie Hannes zeigen, was Mode sein konnte, wenn man sie nicht dem Zufall oder dem Räumungsverkauf überließ. »Umwerfend«, hauchte sie in den Spiegel, bis er anlief. Hannes würde bestimmt wie von den Socken sein.

Sie war mit ihm zum Essen verabredet, es war sozusagen ihr erster richtiger Abend zu zweit. In der Schwarzspanier-straße hatte ein neuer, nein, nicht Spanier, sondern Viet-namese aufgemacht. Vermutlich extra für sie zwei. Hannes hatte für zwanzig Uhr reserviert. Judith kam gezählte drei-zehn Minuten zu spät, zweifellos die längsten des Tages. Man konnte im begrünten Hof sitzen. Hannes sprang vom Tisch auf und ruderte wild mit den Armen herum, als er sie sah. Andere Gäste drehten sich zu ihr, um zu sehen, wie man erscheinen musste, um einen Mann an einem Hort asiatisch-meditativer Ruhe spontan derart aus der Fassung zu bringen.

Judith war diesmal überhaupt nicht nervös. Sie er-zählte von ihrer Kindheit im Lampengeschäft, von ihrem Tramperurlaub mit Bruder Ali in Kambodscha und von ihren traumatischen Erfahrungen mit Voodoo zaubernden Heilpraktikern im brasilianischen Macumba. Dazu aß sie, so schnell und beherzt, wie sie redete, ein dreigängiges Menü, trank Cola und grünen Tee und ließ sich von Han-nes anhimmeln, der appetitlos in einem trockenen Reis-gericht herumstocherte, ohne den Blick von ihr abzuwen-den.

Neben den schon üblichen Komplimenten, die kaum ein Gesichtsmerkmal, einen Körperteil oder einen inneren Wert Judiths ausließen, schmeichelten ihr die warmen

Blitzlichtgewitter seiner Augen, die auf ihre Lippen niedergingen, sobald sie sie öffnete, um irgendwas zu sagen, wie belanglos auch immer es war. So hätte es für sie stundenlang dahingehen können.

Aber mit einer überraschend ruckartigen Bewegung nahm Hannes plötzlich ihre Hand, zog sie über die Tischmitte, vergrub sie in seinen Riesenfingern und löste damit ein seltsames Gefühl in ihr aus. Denn sein Blick war plötzlich ernst und feurig wie noch nie. Und er sagte, in einem ganz anderen, viel gewichtigeren Ton, als sich Frischverliebte beim ersten Rendezvous gegenseitig ihre harmlosen Lebensgeschichtchen erzählen: »Judith, du bist die Frau, auf die ich immer gewartet habe. Dir will ich meine ganze Liebe geben.« Da dies keine Frage war, wusste Judith auch keine Antwort darauf. So beließ sie es bei dem Hinweis: »Hannes, du bist so lieb zu mir. Ich kann es noch gar nicht begreifen.«

Ihre Hand hätte sie jetzt gerne wieder bei sich neben der Teetasse gehabt. Aber Hannes war noch nicht fertig damit. Besonders ihr vierter Finger war fest in seinem Griff, langsam schob sich da etwas über ihn, und es fehlte ihm jede Bewegungsfreiheit, es rechtzeitig abzuschütteln. Dann gab Hannes ihre Hand frei, und Judith durfte staunend die Veränderung an ihrem Finger betrachten. Dabei wirkte sie nicht sehr natürlich, solche Szenen hatte sie zu oft in Filmen gesehen. Und sie hielt sich an die dem Anlass gerechten Worte. »Hannes, bist du wahnsinnig?« »Wie komme ich überhaupt dazu?« »Ich hab doch erst in fünf Monaten Geburtstag.« Und auch »Das kann ich nicht annehmen« war dabei.

»Betrachte es als kleines Erinnerungsstück an unsere Anfangszeit«, sagte Hannes. Sie nickte. »Gefällt er dir?«, fragte er. – »Ja, natürlich, er ist wundervoll«, erwiderte Judith. Das war ihre erste Lüge, Hannes mitten ins verklärte Gesicht.

7.

Um den Ring zu verkraften, schlug sie vor, in ein anderes Lokal zu wechseln, in die »Triangel«, eine Bar hinter dem Votivpark. – Dort war sie ein paar Mal mit Carlo gewesen. Hannes hatte alle Chancen, es besser zu machen. Das spärlich eingesetzte Licht der gelben und roten Deckenspots brach sich an Wänden aus Milchglas und zeichnete die Gesichter der Gäste im Halbdunkel weich. Die Menschen verwandelten sich hier in schöngefärbte konturlose Gestalten, die sich nur noch schwer voneinander abgrenzen konnten. Wenn Carlo darauf gedrängt hatte, dass sie doch noch auf einen Sprung zu ihm kommen sollte (wobei jeder dieser Sprünge natürlich im Bett landete), dann hatte sie im »Triangel« meistens nachgegeben und ja gesagt.

Hannes war nicht der Typ, der aus der Aura eines für Verführungszwecke geschaffenen Lokals Kapital schlagen konnte. Das rechnete sie ihm hoch an, mehr noch, sie fand es sogar anziehend. Immerhin hatte er seinen Arm erfolgreich um ihre Schulter geschlungen und hielt sie fest wie ein großer Beschützer. So standen sie wie ein verlorenes Trachtenpärchen an der Theke und erzählten sich unwesentliche Details aus ihrem Leben.

Judith brauchte schließlich zwei etwas härtere Getränke, um Hannes so prinzipiell einmal die Frage zu stellen: »Wie wäre es eigentlich mit einem Kuss?« – Dabei schleuderte sie einen auffordernden Blick von unten mitten in seine weit aufgerissenen Augen und wusste selbst, dass sie dabei umwerfend ausgesehen haben musste. Sie zum Beispiel hätte sich dafür sofort geküsst. Er sagte wenigstens »Ja«, ganz ohne Nachdenkpause.

»Aber nicht hier und jetzt«, ergänzte er zu ihrer Verblüffung. »Wo dann und wann?«, fragte sie. Hannes: »Bei mir.« (Ohne Zeitangabe.) Judith: »Bei dir?« Sie strich mit der Daumenkuppe über die kantige Oberfläche des neuen Ringes. Sie hasste Bernstein. Vielleicht bestand seine gesamte Wohnung mit all ihren Einrichtungsgegenständen aus Bernstein. »Nein, bei mir«, sagte sie, über ihren eindringlichen Ton erstaunt. »Okay, dann gehen wir zu dir«, erwiderte Hannes sehr rasch. Er lächelte mit all seinen weichgewaschenen und abgeschirmten Sonnenstrahlenfältchen. »Dann« hieß bei ihm offensichtlich »jetzt gleich«, dachte Judith, während er sich anschickte zu bezahlen.

8.

Die Stehlampe neben ihrer ockergelben Wohnzimmercouch hatte sie in einem Antiquitätengeschäft in Rotterdam entdeckt. Die beweglichen Schirmköpfe hingen wie Goldregen von einem geschwungenen dicken Blumenstiel herab. Die Lichtquelle mündete und versiegte in sich selbst. Der Raum bekam davon nur das Notwendigste ab.

Judith hatte lange gebraucht, um die Schirme im optimalen Winkel aufeinander einzurichten. Nun schaffte es die Lampe, selbst die müdesten Augen zum Funkeln, die trübsten Gesichter zum Leuchten, die traurigsten Gestalten zum Lachen zu bringen. Wäre Judith Psychotherapeutin gewesen, dann hätte sie ihre Patienten nur für ein paar Minuten im Stillschweigen hierhergesetzt und nachher gefragt, welche Sorgen sie hatten oder ob sie sich überhaupt noch daran erinnern konnten.

Judith war so sehr empfänglich für vertraute Lichter und ihre Wirkungen, dass sie sie auch spürte, wenn ihre Augen geschlossen waren, wie jetzt, zur feierlichen Zeremonie ihres ersten Hannes-Kusses. Wie hatte Lara am Telefon gefragt? »Ist es schön, ihn zu küssen?« – Schön? Ihn zu küssen? Sie hatte seine Lippen mit den Fingern berührt, er hatte seine Hand auf ihren Nacken gelegt und ihren Kopf sachte zu sich gezogen. Dann spürte sie ihn gleichzeitig an verschiedenen Stellen, verteilt über ihren gesamten Körper. Seine Beine nahmen ihre in die Zange. Mit der linken Schulter drückte er sich fest an ihren Oberkörper. Seine Ellbogen berührten ihre Hüften, die Arme pressten sich der Länge nach an ihre schmale Taille und schoben sich weiter hinauf. Die Hände fassten ihren Hals an beiden Seiten und fixierten ihren Kopf. Sie befand sich in vollkommener Umklammerung, als seine Lippen auf ihrem Mund zur Landung ansetzten, wie die Räder einer tonnenschweren Flugmaschine auf weichem Asphalt. Ein paar Mal wippten sie auf und ab, dann ließen sie sich fallen und saugten sich fest. Judith öffnete die Lippen und gab ihre Zunge frei, die nur noch unkontrolliert hin und her geschleudert wurde, wie am hochtourigen Ende eines Vollwaschgangs.

Eine Faust konnte sich lösen und klopfte auf seinen Hinterkopf. Da ließ er augenblicklich locker. »Hey, nicht so fest, du raubst mir ja die Luft«, beschwerte sie sich. »Mein Liebling, verzeih mir«, hauchte er ihr stimmlos ins Ohr. Jetzt erst öffnete sie ihre Augen. Sein Anblick beruhigte sie. Hannes sah zerknirscht aus, wie ein ungeschickter Schuljunge, der wieder einmal alles falsch gemacht hatte.

»Küsst du immer so heftig?«, fragte sie. »Nein, es ist, es ist, es ist …« Er benötigte drei Anläufe. »Es ist, weil ich dich so sehr liebe, ich weiß gar nicht, wohin damit«, erwiderte er mit flehentlichem Unterton. Okay, das Argument war brauchbar. »Deswegen musst du mich aber nicht gleich mit Haut und Haaren verschlingen«, sagte sie milde. Er lächelte verlegen, seine Augen strahlten im Goldregenlicht.

Judith: »Du musst mich zart anfassen, ich bin aus Porzellan.« Sie tippte ihm mit dem Zeigefinger auf die Nasenspitze. Er legte seine Hände weich auf ihre Wangen. Sie: »Warum zitterst du?« Er: »Ich begehre dich so sehr.« Sie: »Willst du mit mir schlafen?« Er: »Ja.« Sie: »Dann tu es.« Er: »Ja.« Sie: »Aber das Licht bleibt an.«

Phase drei

1.

Der Juni begann heiß und trocken. Das Tageslicht kam weiß wie aus einer kosmischen Neonröhre. Man benötigte Sonnenbrillen, um noch Farben zu erkennen. Der kleine Hibiskus-Baum auf ihrer Dachterrasse hatte seine letzten roten Blüten abgeschüttelt. Dafür schob die riesige Birkenfeige, die Hannes mitgebracht hatte, einen Trieb nach dem anderen heraus. Bis zum Herbst wollte Judith sich das noch ansehen, dann würde sie sie leider zurückschneiden müssen.

Sie saß auf der Steintreppe, schloss die Augen und versuchte, aus den weißgelben Tafeln, die ihr die Sonne unter die Lider schob, etwas über sich herauszulesen. Sie war unbescheiden, wünschte sich, mit einem Male fassen zu können, was in den vergangenen Wochen mit ihr geschehen war, warum sie dasaß, wie sie dasaß. Ja und wie saß sie eigentlich da?

Wollte sie denn einen Mann? (Nicht mehr unbedingt.) Einen »fürs Leben«? (Nur noch bedingt.) Hatte sie nicht bereits alle Kategorien durchgemacht? (Vor ein paar Wochen hätte sie noch ja gesagt.) War sie nicht eins mit sich gewesen? (Doch, meistens. Nur wenn sie betrunken war, war sie zwei oder drei mit sich.) Hatte sie nicht alles im Griff gehabt? (Doch, manchmal, eher werktags und hauptsächlich Lampen.)

Vor knapp drei Monaten hatte sie nun also jemanden kennengelernt. »Jemanden« war dramatisch untertrieben. – Hannes Bergtaler! Architekt. Er plante gerade ihre gemeinsame Zukunft. Der Rohbau stand schon. Wenn es nach ihm ging, konnten sie morgen bereits einziehen.

Der Mann hatte eine außergewöhnliche, überdimensionierte, atemberaubende Liebesfähigkeit. Er liebte und liebte und liebte und liebte. Und wen liebte er? Er liebte – sie. Wie sehr? – So sehr. »Über alles« war nur ein Bruchteil davon.

Aufpassen, Judith! Vielleicht machte er ihr etwas vor, vielleicht machte er jeder Frau etwas vor, vielleicht liebte er alle paar Monate jemanden so wie sie, vielleicht war er ein professioneller Über-alles-Liebender. – Nein, Hannes nicht. Hannes war echt. Er war kein Spieler. Er war kein Blender. Das war ja eben der Unterschied zu allem, was ihr bisher untergekommen war. In seiner Art, sie zu lieben, steckte etwas Endgültiges, ein irrer Anspruch auf die Ewigkeit. Er war so ernsthaft in seiner Hingabe, so treu in seinen Gesten, so echt in seinen Bekundungen, so konzentriert auf sie. Und das fand sie einfach unheimlich – anziehend. Anziehend? Sie wusste nicht, ob »anziehend« das richtige Wort war. Aber irgendwie in dieser Art fand sie es. Sie fand es, fand es, fand es …

Sie wunderte sich über sich selbst. Wollte sie je auf Händen getragen werden? (Nur von ihrem Vater.) Wollte sie von jemandem in den Mittelpunkt des Universums gerückt werden? (Nicht einmal von ihrem Vater.) Wollte sie die Auserwählte sein? (Nein, sie wollte eigentlich immer selber auswählen.) Ja, genau, das war ihr Problem. Hannes ließ ihr keine Wahl. Er wählte. Er war ihr immer drei Schritte voraus. Das hieß: Sie kam nicht dazu, gezielte Schritte zu setzen. Sie stolperte den Geschehnissen hinterher. Sie war im Schlepptau seiner emotionalen Hochgebirgstouren.

Was ihr ein bisschen Angst machte: In die Richtung, die er vorgab, ging es nicht mehr viel weiter. Ihr war der Kurs zu steil. Sie konnte bei seinem Tempo nicht mehr mithalten. Ihr ging die Luft aus. Sie musste bremsen. Sie benötigte eine Pause.

Seit drei Wochen sah sie ihn jeden Tag. JEDEN TAG. Alle paar Stunden kam er zu ihr ins Geschäft auf einen Kaffee, und wenn es gerade keinen gab, dann halt auf eine Glühbirne. Wenn sie Kunden hatte, wartete er mit Engelsgeduld, bis sie frei war. Er kannte mittlerweile alle ihre Lampenkataloge in- und auswendig und die Namen der hundert »volle geilsten Discos« von ihrem Lehrmädchen sowieso. Am Abend gingen sie essen oder ins Kino oder ins Theater oder in ein Konzert – ganz egal. Er hätte auch Müllhalden, Truppenübungsplätze und Autofriedhöfe besichtigt. Einzige Bedingung: mit ihr.

Und ja, in der Nacht schlief er bei ihr. Das hieß: Sie schlief, und er beobachtete sie dabei. Sie hatte noch nie die Augen geöffnet, und seine waren nicht auf sie gerichtet gewesen. Als Kind hatte sie vergeblich auf den Schutzengel neben ihrem Kopfpolster gewartet, der alle ihre Träume überblickte. Nun, mit Mitte dreißig, ein Alter, in dem die Illusionen aufgebraucht waren, hatte sie plötzlich Hannes Bergtaler neben sich.

Sex? – Ja klar, natürlich, nicht sooft er wollte, aber immer noch dreimal so oft wie mehr als genug. Für sie selbst war es … ja, gut, es war wirklich okay. Das Besondere daran war, wie schön es für ihn war. Er genoss es so sehr. Und sie genoss seinen Genuss daran, seinen Genuss an ihr.

War das schlimm? War sie ein Narziss? Hatte sie Bergtaler gebraucht, um sich selbst wieder schön und begehrenswert zu finden? Hatte sie ihn benötigt, um sich selbst wieder genug wert zu sein? Wie wenig musste sie sich wert gewesen sein? Wie schlecht war es ihr gegangen, ohne dass sie es merkte? Wie gut ging es ihr jetzt? Wie gut würde es weitergehen? Und wohin?

Keine Antworten mehr. Die weißgelben Tafeln unter ihren Lidern verdunkelten sich. Judith öffnete die Augen. Ach, nur eine kleine, harmlose Schäfchenwolke.

2.

Am Freitag vor Pfingsten war Judith erstmals zu Besuch in seiner Wohnung in der Nisslgasse. Er war schon Stunden vor ihr dort gewesen, um »aufzuräumen«, wie er sagte – wobei sie sich nicht vorstellen konnte, dass irgendwas in seinem Leben unaufgeräumt sein konnte, schon gar nicht sein Zuhause.

An der Pforte benahm er sich sonderbar, öffnete die Tür nur zögerlich, als fürchtete er, von unliebsamen Gästen heimgesucht zu werden. Als sie eingetreten war, sperrte er zu und schob einen Riegel vor. »Hast du was?«, fragte sie. »Dich lieb!«, erwiderte er. – »Und sonst? Du wirkst so angespannt.« – »Du in meiner Wohnung, wenn mich das nicht anspannt, was dann?«

An der Einrichtung erkannte sie, wie wenig sie von ihm wusste und wie klar doch alles war. Jeder Gegenstand, darunter dunkle antike Stücke von beträchtlichem Wert, hatte seinen Platz und wirkte unverrückbar. Von der großväterlichen Sitzcouch genoss man einen herrlichen Ausblick auf ein monströses Bügelbrett, das im Zentrum des Zimmers postiert war und von einer mit hässlichen milchkaffeefarbenen Glasklötzen behängten Sparlampe beleuchtet wurde. Die Küche war klein und klinisch sauber wie aus dem Prospekt. Das Geschirr versteckte sich aus purer Angst, benutzt zu werden, in den Vitrinen. Judith wollte ohnehin nur ein Glas Wasser.

Der einzige lebendige, bewohnt wirkende Raum war das Büro. Hier erst konnte man auf die Idee kommen, dass der Mieter Architekt und nicht Nachlassverwalter im Ruhestand war. An den Wänden, auf dem Schreibtisch, auf dem Parkettboden, überall hingen und lagen Pläne. Es roch nach Bleistift, Radiergummi und akribischer Detailarbeit.

Die Schlafzimmertür war zu und hätte es ruhig auch bleiben können. Hannes öffnete sie ohnehin nur einen Spalt, als dürften die von kahlen Nachtkästchen flankierten zwei Einzelbetten mit ihren karierten Deckenüberwürfen in ihrem Jahrtausendschlaf nicht gestört werden. Von der Decke hing ein weißer Vollmond herab. Kugellampen verkauften ihr Licht immer unter seinem Wert, wusste Judith.

»Schön«, sagte sie in Dreißigsekundenintervallen. »Nicht ganz mein Stil, aber sehr schön«, schob sie dazwischen ein paar Mal ein. Hannes führte sie bei der Besichtigung durchgehend an der Hand, als würde man unzugängliches Gelände oder gar vermintes Gebiet betreten. »Sind hier schon viele Frauen ein und aus gegangen?«, fragte Judith. »Ich weiß es nicht, die Vormieter waren jedenfalls Ärzte, ein Dentistenpaar«, erwiderte Hannes. Er beherrschte die Kunst, Fragen, die gar nicht falsch verstanden werden konnten, falsch zu verstehen.

Am Ende der Führung standen sie eine Weile ratlos, wie das Programm jetzt weitergehen sollte, in der Nähe des Bügelbretts. Bald bekam er den mittlerweile eindeutigen Hannes-Blick mit den vielen sonnigen Lachfältchen, umarmte und küsste sie. Ein paar Schritte wankten sie auf die Couch zu. Bevor sie sich fallen lassen konnten, ergriff Judith aus der Umklammerung heraus das Wort. »Du, Lieber«, flüsterte sie ihm ins Ohr, »fahren wir zu mir?«

3.

»Und was machen wir am Wochenende?«, fragte Hannes. Der Samstag war bereits eine Stunde alt; das Licht in Judiths Schlafzimmer (gespendet von dem verspielten Messingluster einer jungen Prager Designerin) abgedreht. Sie war gerade noch wach, lag mit dem Kopf auf seinem Bauch in ihrem Bett und spürte angenehm seine kräftigen Finger, die ihre Kopfhaut massierten.

Sie seufzte tief und so gequält, wie sie nur konnte. »Ich muss leider aufs Land, zu meinem Bruder Ali. Ein Pflichttermin. Großes Familientreffen. Hedi hat Geburtstag. Anstrengend, sage ich dir. Sie ist ja hochschwanger. Und meine Mutter ist natürlich auch noch dabei. Du weißt, ich habe dir erzählt: Hedi und meine Mutter, das geht nicht zusammen.

Mühsam, sage ich dir. Das wird ziemlich mühsam.« Dazu seufzte sie noch einmal schicksalsschwer.

»Gemeinsam machen wir das schon«, verkündete Hannes von oben. Er hatte sich im Bett aufgerichtet. Judith: »Nein, Hannes, wirklich nicht!« Sie erschrak über ihren Ton und schwächte ihn sofort ab. »Du, du Lieber, da muss ich selber durch. Das wird unheimlich mühsam. Das kann ich dir nicht zumuten. Du kennst meine Familie nicht.« Sie strich mit den Fingernägeln zart über seine Hand. Hannes: »Ich werde sie kennenlernen, und ich werde sie mögen.« Judith: »Das wirst du, aber nicht alle zusammen, das ist zu viel auf einmal, glaube mir. Mein Bruder kann so kompliziert sein. Und es kommt auch noch ein befreundetes Paar mit zwei Kindern dazu. Es wird ziemlich eng, räumlich. Du nein, Hannes, lieb von dir, aber diesmal muss ich ganz alleine in den sauren Apfel beißen.«

Sie saßen jetzt nebeneinander im Bett, Judith mit verschränkten Armen. Hannes: »Nein, Liebling, kommt überhaupt nicht in Frage, ich lasse dich da nicht im Stich. Ich fahre selbstverständlich mit. Du wirst sehen, gemeinsam werden wir das Kind schon schaukeln.«

Judith wollte kein Kind gemeinsam schaukeln. Sie drehte das Licht an, er musste die Entschlossenheit in ihrem Blick erkennen. »Hannes, es geht nicht. Diesmal wirklich nicht. Es gibt gar kein Bett für dich. Wir sehen uns am Sonntagabend, und ich erzähle dir dann alles. Einverstanden?« Sie streichelte seine Wange.

Er schwieg und machte ein Gesicht, das sie noch nicht kannte. Anscheinend biss er bei gepressten Lippen die Zähne zusammen, denn seine Backenknochen traten hervor.

Die Lachfältchen um die Augen waren da, aber ohne Lachen waren sie keine Sonnenstrahlen mehr, sondern schattige Furchen. Schließlich drehte er sich zur Seite und ließ seinen Kopf im Polster versinken. »Gute Nacht, Liebling«, murmelte er nach einer langen Pause, »überschlafen wir es einmal.«

4.

In der Früh, Judith hatte kaum geschlafen, roch es nach Kaffee, das Radio spielte Klassik und Hannes, der schon halb angezogen war, beugte sich über sie, weckte sie mit einem Kuss und strahlte sie an.

»Deine Mama hat angerufen«, sagte er. Judith: »Wieso?« Sie meinte, wieso er das wusste, wieso er zum Telefon gegangen war, wieso er sie nicht aufgeweckt hatte. Hannes: »Deine Mama hat angerufen und gefragt, wann wir sie abholen wollen.« Judith: »Wir?« Das war ein Aufschrei. Judith war hellwach und wütend. Hannes: »Ich habe ihr gesagt, dass ich wahrscheinlich nicht mitkommen werde.« Judith: »Aha.«

Hannes: »*Schade, vielleicht überlegen Sie sich's ja noch*, hat sie gemeint. Sie hätte mich gerne kennengelernt. *Meine Tochter hat schon viel von Ihnen erzählt*, hat sie gesagt.« Judith: »Und?« (Sie hatte ihrer Mutter kaum ein Wort von Hannes erzählt, Mutter brachte wieder alle Männer durcheinander.) Hannes: »Wenn du nicht willst, dass ich mitgehe, dann gehe ich natürlich nicht mit. Ich will mich nicht aufdrängen, ich will mich wirklich nicht aufdrängen. Vielleicht ist es tatsächlich noch zu früh für eine Begegnung.« Judith: »Ja.« Sie atmete durch. Sie kraulte seinen Hals.

Hannes: »Aber ich würde gerne mitgehen. Ich mag deine Mama. Sie ist nett am Telefon. Sie hat eine Stimme wie du. Ich würde sehr gerne mitgehen. Das wird ein nettes Wochenende, du wirst sehen, Liebling. Ich mag deine Familie. Ich mag alles, was mit dir zu tun hat.« Judith: »Ja, ich weiß.«

Hannes: »Wir werden uns ein wunderschönes Wochenende machen, ich verspreche es dir. Ich kann auf dem Fußboden schlafen, das macht mir nichts aus, ich habe einen dicken Schlafsack. Ich bin so wahnsinnig gerne mit dir zusammen, Liebling. Ich liebe dich. Ich würde so gerne mitkommen. Darf ich mitkommen?«

Judith lachte. Er sah sie an mit den Augen eines gut abgerichteten Bernhardiners, der in ihren Pupillen soeben Steaks entdeckt hatte. Sie tippte ihm mit dem Zeigefinger auf die Nasenspitze und küsste ihn auf die Stirn. »Aber ich habe dich gewarnt«, sagte sie.

5.

Nach dem Frühstück brach er auf. Er hatte Einkäufe zu erledigen. Judith holte die schlaflose Nacht nach. Am späten Nachmittag, als es zu regnen begann, fuhren sie (in ihrem weißen Citroën) gemeinsam zu Mama. »Ich spring nur rasch zu ihr hinauf, du kannst ruhig im Auto bleiben«, sagte sie. Er ging mit. In der Rechten hielt er einen großen violetten Regenschirm, in der Linken einen Strauß Pfingstrosen, den er ihrer Mutter an der Wohnungstür mit einer bühnenreifen Verbeugung überreichte. Sie mochte ihn sofort, er trug ja ungefähr die Mode ihrer Jugend. Sie umarmte ihre Tochter stürmischer als sonst. Es war da auch der Glückwunsch dabei, endlich einen Mann gefunden zu haben, der zu ihr passte – zu ihr, der Mama.

»Und was machen Sie beruflich?«, fragte Mama während der Fahrt. Hannes: »Ich bin Architekt, gnädige Frau.« Mama: »Ah, Architekt!« Hannes: »Mein kleines Büro spezialisiert sich auf den Um- und Neubau von Apotheken.« Mama: »Ah, Apotheken, großartig!« – »Vielleicht baut er dir eine eigene, Mama«, ätzte Judith.

Nach zweieinhalb Stunden hatten sie das notdürftig hergerichtete alte Gutshaus in der Einschicht des oberösterreichischen Mühlviertels erreicht. Hedi betrieb dort eine kleine Biolandwirtschaft. Ali arbeitete als Landschaftsfotograf, aber eher selten, da musste die Landschaft schon gehörig darum betteln. Materielles war ihnen nicht so wichtig, auch auf Haarbürsten und Bartschneider konnten sie verzichten.

»Ich bin der Hannes«, sagte er in seiner chronischen Begrüßungs-Euphorie und streckte Ali viel zu stürmisch die Hand entgegen. Der Bruder wich reflexartig zurück. »Hannes ist mein Freund«, rechtfertigte Judith sich, ihn und die Situation. Ali starrte ihn wie ein Weltwunder an. »Er ist Architekt«, fügte Mama hinzu. Dabei wanderten ihre Augen, über denen sich die Brauen gehoben hatten, zwischen Ali und Hedi hin und her. Hannes überreichte den beiden einen Dreierkarton südburgenländischen Bioweins. »Meiner Meinung nach der beste aus der Gegend«, sagte er. Ali verabscheute Wein. Judith wäre am liebsten gleich wieder gegangen. Es wäre vermutlich gar nicht aufgefallen.

Der Abend verging rund um den Bauerntisch unter einem verstaubten pseudorustikalen Lampenschirm – im

Schleichtempo. Judith beschäftigte sich hauptsächlich mit dem sich verflüssigenden und dann wieder verfestigenden Wachs der Kerzen auf dem silbernen Ständer vor ihr. Sie formte schöne Kugeln, drückte sie mit dem Daumen auf die Tischplatte, löste die Plättchen mit dem Messer und formte daraus wieder Kugeln.

Hannes hielt beinahe ohne Unterbrechung eine Hand auf ihrem Knie, welches immer heißer wurde. Die andere setzte er für unterstützende Gesten ein, während er der Familie abwechselnd die Architektur, die Liebe (zu Judith) und die Welt erklärte. Er war mit Abstand die gesprächigste und agilste Person in dieser Runde.

Streit gab es nur vereinzelt. Hedi strebte eine Heimgeburt mit einer tschechischen Hebamme an, Mama plädierte energisch für das Allgemeine Krankenhaus in Wien, die waren auf so etwas besser eingerichtet, vor allem hygienisch, meinte sie und funkelte Hedi dabei an. Hannes beendete die Diskussion, indem er, abseits der obligaten familiären Geldspenden, ein eigenes Geburtstagsgeschenk für die Hochschwangere auspackte, das er offenbar am Vormittag besorgt hatte: zwei Baby-Strampelhosen, eine in rosa, eines in hellblauer Farbe. »Weil wir ja nicht wussten, ob Mädchen oder Bub«, erklärte er und zwinkerte Judith zu. Mama lachte. Ali schwieg. »Es wird ein Mädchen«, sagte Hedi zu Hannes. Und: »Die blaue Hose heben wir für euch auf.« Mama ließ ihr Lachen in die Verklärtheit gleiten. Ali schwieg. Hannes strahlte. Judith nahm sachte seine Hand vom Knie. Sie musste dringend auf die Toilette.

6.

Am späten Abend kamen die Winningers dazu. Mit Lukas, dem besten Freund ihres Bruders, war Judith einmal liiert gewesen – ein angenehmer, sensibler, kluger Mann. Er hatte als Buchhandelsvertreter in Deutschland gearbeitet – und war für sie somit das Gegenteil von Hannes: nie da gewesen. Erst für Antonia, eine Linzer Anglistikstudentin, die aussah, als wäre sie seine Zwillingsschwester, hatte er den Job aufgegeben und eine Stelle in der Stadtbibliothek angenommen. Viktor war mittlerweile schon acht, Sibylle sechs Jahre alt.

Ali ging mit den Kindern in den Garten Bogenschießen, trotz Regen. Vielleicht wollte er auch einfach nur Haare waschen. Lukas lenkte Judith von den Wachskugeln ab und redete mit ihr vertraulich über alte und neuere, über möglicherweise zu früh abgebrochene und zu spät angebrochene Zeiten. Dazu passte hervorragend der südburgenländische Wein.

Irgendwann bemerkte Judith, dass die Hand auf ihrem Knie und somit auch Hannes fehlte. Nach langem Suchen fand sie ihn draußen, im letzten Eck des Gartens, stoisch auf einem Holzstoß sitzend. Dort ließ er sich vom Regen berieseln.

Judith: »Was machst du da?« Hannes: »Ich denke nach.« Er blickte seitlich an ihr vorbei. Judith: »Worüber?« Hannes: »Über dich.« Judith: »Und was denkst du da?« Hannes: »Über dich und Lukas.« Judith: »Lukas?« Hannes: »Du glaubst, ich sehe so etwas nicht.« Er schien sich dazu zwingen zu müssen, leise zu sprechen, die Stimmbänder klangen brüchig. Judith: »Was?« Hannes: »Dass er dich anschaut.« Judith: »Anschauen ist beim Reden üblich, oder?« Hannes: »Es kommt darauf an, wie.« Judith: »Hannes, nein, bitte nicht! Ich kenne Lukas seit zwanzig Jahren. Wir sind alte Freunde. Wir waren einmal vor langer, langer Zeit …« – »Was früher war, will ich gar nicht wissen. Für mich zählt, was heute ist. Du blamierst mich vor deiner Familie.«

Sie beugte sich zu ihm und sah ihm scharf ins Gesicht. Er zitterte, seine Mundwinkel zuckten mit den Augen um die Wette. Judith atmete demonstrativ durch und sprach langsam und eindringlich, wie man es tat, wenn man Grundsätze erklärte. »Stopp, Hannes, so nicht! Das ist das Allerletzte. Ich habe mich ganz normal mit Lukas unterhalten. Wenn das ein Problem für dich ist, dann hast du hiermit ein Problem mit mir. Solche Szenen vertrage ich nämlich ganz und gar nicht, schon seit der Pubertät nicht, und ich habe nicht vor, mich mit Mitte dreißig daran zu gewöhnen.«

Hannes schwieg und vergrub seinen Kopf in den Händen. »Ich gehe jetzt hinein«, sagte Judith. »Und das Gleiche würde ich auch dir empfehlen. Es regnet nämlich.« – »Warte einen Augenblick, Liebling«, rief er ihr nach. »Gehen wir bitte gemeinsam.« Seine Stimme klang jetzt wieder halbwegs normal.

7.

Gekreische, Gegluckse und Gelächter aus dem Garten weckten Judith am nächsten Morgen. Der blaue Schlafsack zu Füßen ihres Gästebetts war leer. Hannes musste sich hingelegt haben, als sie schon geschlafen hatte, und aufgestanden sein, als sie noch nicht wach gewesen war. Neben ihrem Polster lag ein Zettel, darauf ein ungleichförmiges Bleistiftherz und die Botschaft: »Liebling, ich weiß nicht, was gestern in mich gefahren war. Ich habe mich wie ein Fünfzehnjähriger benommen. Ich verspreche dir: So etwas wirst du nie mehr erleben. Verzeih mir bitte. Ich kann es nur mit meiner Wahnsinnsliebe zu dir erklären. Dein Hannes.«

Draußen war es sonnig. Vom Fenster aus sah sie ihn, blendend gelaunt, bestürmt von den Kindern. Abwechselnd hob er eines und drehte es in der Luft. Lukas und Antonia standen daneben und scherzten mit ihm. Als er Judith sah, winkte er ihr stürmisch zu.

Auf der Terrasse war schon das Frühstück angerichtet. »Wir haben ein nachtaktives Heinzelmännchen geerbt«, erfuhr Judith von Hedi. Die Berge von Geschirr waren gewaschen und weggeräumt, der Boden aufgekehrt. Die Küche erkannte sich selbst nicht wieder, so sauber war sie schon Jahre nicht gewesen. Sogar der scheinbar hoffnungslos verkrustete Herd war plötzlich wieder weiß. »Kann man deinen Hannes auch unter der Woche mieten?«, fragte Hedi. Judith bemühte sich, herzlich zu lachen.

Hannes wehrte die Komplimente ab. »Wenn ich nicht schlafen kann, stürze ich mich am liebsten in Hausarbeit.

Das ist ein Tick von mir«, sagte er. »Und beim Frühstück hat mir Mama geholfen.« Sie saß natürlich neben ihm. Er berührte ihre Schulter. »Ach die paar Tassen«, sagte sie und belohnte ihn mit einer Serie divenhafter Augenaufschläge.

Am Vormittag, während Hannes mit den Kindern herumtollte, konnte Judith ihrem stillen Bruder Ali doch noch ein paar Worte entlocken. Auf die Antidepressiva war er jetzt besser eingestellt, manchmal strotzte er geradezu vor Tatendrang, erzählte er. Er freute sich riesig auf das Baby und schwor sich (und Hedi), der perfekte Vater zu sein. Was ihm lediglich fehlte, war eine regelmäßige Arbeit. Mit Landschaftsfotos war nichts zu verdienen. Was anderes hatte er leider nicht gelernt, dabei wollte er es auch ganz gerne belassen.

»Und was hältst du von Hannes?«, fragte Judith. Ali: »Aufräumen kann er.« Judith: »Und sonst?« Ali: »Ich weiß nicht, er ist irgendwie so ... unheimlich ... so unheimlich nett.« Judith: »Ja, das ist er.« Ali: »Und er gehört praktisch schon zur Familie.« Judith: »Es ist alles irre schnell gegangen. Wahnsinn!« Ali: »Du bist anders, wenn du mit ihm zusammen bist.« Judith: »Wie anders?« Ali: »Irgendwie nur noch so – halb.« Judith: »Das klingt ja fürchterlich.« Ali: »Na ja, wenn du ihn liebst.« Judith schwieg, es entstand eine Pause. Ali: »Liebst du ihn?« Judith: »Ich weiß nicht.« Ali: »Weiß man es nicht immer, wenn man liebt?«

8.

Vor dem letzten Teil der Heimfahrt hatte sich Judith ge-
fürchtet. Mama war bereits abgeliefert. Hannes hatte ihr die
Reisetasche bis zur Wohnungstür getragen. Daheim füllte
sie sicher gleich die ersten Adoptionsformulare aus.

»Du, Hannes?« – Judith musste es ihm jetzt beibringen:
Sie wollte den Abend und die Nacht heute nicht mit ihm
verbringen. Mehr noch: Sie benötigte dringend ein paar
Tage für sich. »Für sich« war gleichbedeutend mit »ohne
ihn«. Sie wollte sich wieder »ganz« fühlen, musste ihre
zweite Hälfte zurückgewinnen. Ohne zweite Hälfte war ein
Zusammensein mit Hannes undenkbar.

Er unterbrach sie: »Liebling, ich habe mir die schlechte
Nachricht bis zum Schluss aufgehoben. Ich habe es einfach
hinausgeschoben, es war so schön heute, so harmonisch, so,
wie ich es mir gewünscht hatte. Du hast so eine traumhafte
Familie. Und deine Freunde. Und die Kinder.« Er wirkte
zerknirscht.

Judith: »Was für eine schlechte Nachricht?« Hannes:
»Wir werden uns jetzt eine Woche nicht sehen können.«
Judith: »Eine Woche?« Ihre Konzentration auf die Fahrbahn
ließ zum Glück keine emotionellen Gesten zu. Hannes: »Ja,
ich weiß, es ist schrecklich, kaum auszuhalten, aber …«
Und dann erklärte er, warum das Architekturseminar in
Leipzig ohne ihn nicht stattfinden konnte. »Ja, das verstehe
ich«, sagte Judith. »Da musst du hin, da gibt es kein Wenn
und kein Aber.« Sie bemühte sich, dabei ernst und tapfer
dreinzuschauen.

»Vielleicht ist es für uns auch gar nicht so schlecht«, sagte er. Sie sah zu ihm hinüber. Da war kein Zynismus zu erkennen. Judith: »Was meinst du?« Hannes: »Ein bisschen Abstand. Um die Dinge zu ordnen. Damit wir die Sehnsucht wieder spüren.« Judith: »Ja, Hannes, das hat was!« Es fiel ihr schwer, ihre Freude zu verbergen. Hannes: »Auch die größte Liebe braucht Luft, um sich zu entfalten.« Judith: »Ja, Hannes. Ein kluger Satz, ein sehr kluger Satz.« Dafür musste sie ihn augenblicklich küssen. Sie fuhr nach rechts auf einen Parkplatz zu.

»Aber heute Nacht schläfst du noch einmal bei mir«, sagte sie. »Wenn ich darf«, erwiderte er. Seine Sonnenfalten lächelten. Judith: »Du darfst nicht, du musst.«

Phase vier

1.

Judith konnte ihre zweite Hälfte dabei beobachten, wie sie rasch wieder in ihre erste hineinschlüpfte. Gemeinsam verkauften sie wie am Fließband teure Lampen, schwitzten in der Mittagspause bei Step-Aerobik, stöberten nach Dienst in Buchgeschäften und Boutiquen, waren sich am Abend nicht zu blöde für James Bond und »Deutschland sucht den Superstar«, ernährten sich von Pizza und Döner, stießen mit Chianti aufeinander an und waren mit sich im Reinen, mit sich und ihrer ausgeglichenen Besitzerin.

Judith wunderte sich zwar, dass sich Hannes schon den dritten Tag nicht gemeldet hatte, aber keine ihrer beiden Hälften konnte behaupten, dass ihr die konsequente Auszeit mit ihm unangenehm war. Nur wenn sie bereits unter der Decke lag, die Augen schloss und intensiv in sich hineinfühlte, dann huschte ihr da so etwas Flaues vom Magen in den Kopf, wieder zurück und weiter bis in die plötzlich ungewärmten Zehen. Wahrscheinlich war es noch zu schwach, um Sehnsucht genannt zu werden, aber es hatte ja noch ein paar Tage Zeit zu wachsen.

Am Mittwoch musste Judith ein ernstes Wort mit ihrem Lehrmädchen reden. »Bianca, ich gratuliere Ihnen zwar zu Ihrer respektablen Oberweite«, sagte sie, »aber wir sind hier nur ein Lampengeschäft, Sie können ruhig einen BH verwenden.« – »Ja, Frau Chefin, aber bitte, es ist volle heiß hier«, erwiderte Bianca gelangweilt. – Judith: »Glauben Sie mir, Sie machen sich viel interessanter, wenn Sie nicht gleich alles offen zur Schau stellen.« Bianca: »Da kennen Sie aber die Männer schlecht.« Apropos Männer. – »Frau Chefin, warum kommt Ihr Freund eigentlich nicht mehr zu uns herein?« Judith: »Er ist auf Dienstreise, in Leipzig.« Bianca: »Aber heute früh war er da.« Judith: »Nein, Mädel, das kann nicht sein, Leipzig befindet sich nämlich in Deutschland.« Bianca: »Oh ja, bitte, wirklich. Er ist vorbeigegangen und hat volle durch die Auslage hereingeschaut.« Judith: »Nein, Bianca, Sie müssen ihn verwechselt haben.« Bianca: »Aber dann hat er ihm megaähnlich geschaut, Frau Chefin.« Judith: »Okay, okay. Und morgen, wenn Sie das irgendwie einrichten können, bitte mit BH!«

2.

Am Abend traf sich Judith mit Gerd und einigen seiner Kollegen und Kolleginnen vom Graphischen Institut beim Spanier in der Märzstraße. »Wo ist Hannes?«, fragte er, statt sie zu begrüßen. Judith: »Auf Dienstreise in Leipzig.« Gerd: »Ah so, schade.« Es war kein höfliches »Schade«, sondern ein aufrichtiges, und das störte Judith. Sie empfand es als kleinen Affront gegen ihre zweite, eben erst zurückgewonnene Hälfte.

Vier Stunden später, bei der Verabschiedung, machte Gerd seinen Fehler wieder gut. Er sagte: »Besonders bist du immer, aber heute warst du besonders besonders, du bist so richtig aus dir herausgegangen.« – »Danke«, erwiderte Judith. Die Gesprächsthemen (Feinstaub, Mütter, Miniermotten, Wiedergeburt) konnten es nicht gewesen sein. Judith: »Ich habe mich in eurer Runde wohlgefühlt, es war einfach ein gelungener Abend.«

Sie hatte noch ein Lächeln der Behaglichkeit auf den Lippen, als sie das Haustor von innen zusperrte, mit dem Lift ins Dachgeschoss fuhr und sich zum hellrot leuchtenden Knopf tastete, der das erloschene Licht im Stiegenhaus aktivierte. Dort ließ sie einen grellen Schrei los. Der Schlüsselbund fiel ihr aus der Hand und schlug auf dem Steinboden auf, mit klirrendem Getöse, als hätte er dicke Glaswände durchschlagen. Vor ihrer Tür kauerte jemand, richtete sich auf, steuerte auf sie zu. Judith wollte flüchten, wollte um Hilfe rufen, aber die vom Gehirn entsandten Schockbefehle lähmten ihren Körper.

»Liebling«, hauchte er dumpf. »Hannes, du?«, quetschte sie hervor. »Bist du wahnsinnig?« Das Herz hämmerte gegen ihren Brustkorb. »Was ist mit dir? Was tust du hier?« Jetzt erst sah sie den riesigen Strauß schwarzroter Rosen, den er mit den Stengeln voran wie eine Waffe auf sie gerichtet hatte. Er: »Ich hab auf dich gewartet. Du bist spät dran, Liebling, sehr spät!«

Sie: »Hannes, bist du verrückt? Das kannst du nicht machen. Du hast mich zu Tode erschreckt. Warum bist du nicht in Leipzig? Was suchst du hier?« Sie atmete schwer. Er legte die Blumen nieder und hielt ihr die offenen Arme entgegen. Sie wich zurück. »Was ich hier suche? Dich suche ich, Liebling. Ich wollte dich überraschen, ich konnte nicht ahnen, dass du so spät nach Hause kommst. Warum musstest du so spät nach Hause kommen? Wo treibst du dich herum? Warum tust du uns das an?« Seine Stimme bebte. Das Ganglicht streifte sein Gesicht. Um seine Augen wucherten tiefe Schattenfalten.

»Geh jetzt, bitte!«, sagte sie. Hannes: »Du schickst mich fort?« Judith: »Ich kann dich jetzt nicht sehen. Ich muss alleine sein. Ich muss das erst verdauen. Also, bitte, geh!« Hannes: »Liebling, du denkst vollkommen verkehrt. Ich kann dir alles erklären. Ich will bei dir sein, ich will immer bei dir sein. Ich beschütze dich. Wir gehören zusammen. Lass mich zu dir. Lass mich dir alles erklären!« Judith spürte, wie sich ihre Glieder langsam vom Schock befreiten, wie die Wut in ihr an Kraft gewann und ihre Stimmbänder füllte. »Hannes, du wirst jetzt augenblicklich das Haus hier verlassen«, schrie sie, »augenblicklich! Hast du mich verstanden?« Im vierten Stock öffnete sich eine Tür und jemand rief: »Ruhe da oben! Sonst rufe ich die Polizei!«

Hannes ließ sich von der Drohung einschüchtern und wirkte plötzlich verunsichert. »Dabei dachte ich, du wirst dich freuen«, hauchte er ihr stimmlos zu. Er stand bereits beim Aufzug. »Hast du mich denn gar nicht vermisst?« Sie schwieg. »Nimmst du wenigstens deine Blumen? Sie sind durstig. Sie brauchen Wasser. Sie warten seit vielen, vielen Stunden auf Wasser.«

3.

Nach einer grauenvollen schlaflosen Nacht schickte sie ihm ein SMS und bat ihn um eine Aussprache. In der Mittagspause trafen sie sich im Café Rainer. Er saß an dem gleichen Tisch wie bei ihrem ersten Treffen, aber diesmal auf der Eckbank. Sie wählte den unbequemen Stuhl gegenüber von ihm. Hannes war bleich und übernächtigt. Den verschämten, reumütigen Ausdruck in seinem Gesicht kannte sie schon. Er mutierte darin zum Schüler, der ein Nichtgenügend in Mathe zu beichten hatte.

Leipzig war eine Lüge gewesen, gestand er. Es gab kein Architekturseminar. Er hatte bemerkt, dass ihre Liebe nicht so schnell wuchs wie seine. Er wollte ihr eine Pause gönnen, damit sie aufholen konnte (als funktionierte Liebe nach den Regeln eines Wettrennens). Es traf sich gut, sagte er, er hatte ohnehin einiges zu erledigen. Er schmunzelte. Sie würde schon bald mehr dazu erfahren.

»Hannes, das geht so nicht weiter mit uns«, sagte sie. »Ich verstehe dich«, sagte er, »du bist beleidigt wegen gestern. Ja, es war dumm von mir. Ich hätte dich vorher anrufen sollen. Ich habe dich auf dem falschen Fuß erwischt.« – »Nein, Hannes, es ist mehr als das«, sagte sie. »Ich bin für eine so intensive Beziehung …« – »Bitte sprich nicht weiter!« Der Schulbub war weg. Jetzt war Hannes dessen genervter, streng autoritärer Vater. »Ich habe dich verstanden, ich weiß, ich habe einen Fehler gemacht, es wird nicht wieder vorkommen. Sehnsucht! Weißt du, was Sehnsucht bedeutet? Soll ich buchstabieren? S, E, H, N, S, U, C, H, T.

Sehnsucht. Ich hatte Sehnsucht nach dir. Ist das ein Verbrechen?«

Als er bemerkte, dass Judith auf seine geballte Faust sah, öffnete er sie sofort. Er lächelte wie auf Befehl sanft, versuchte vergeblich, Sonnenfältchen entstehen zu lassen. Er streckte seinen Arm nach ihr aus. Sie lehnte sich zurück. »Du wirst sehen, Liebling, alles wird wieder gut«, sagte er. Sie verlangte nach der Rechnung. »Das geht auf mich«, konterte Hannes.

4.

»Frau Chefin, Telefon«, rief Bianca wenige Stunden später vom Verkaufsraum aus ins Büro, wo Judith gerade versuchte, ihre Gedankensplitter einzusammeln, ohne sich dabei zusätzlich zu verletzen. »Ich bin für niemanden zu sprechen, ich bin beschäftigt«, rief sie zurück. Ihr Herz war seit den schweren Schockschlägen im Stiegenhaus nicht wieder zum gewohnten Tempo zurückgekehrt. Bianca: »Es ist Ihr Bruder Ali.« Judith: »Ah so, Ali, den können Sie mir herüberverbinden.«

Ali sprach doppelt so schnell und laut wie sonst. Ja, er sprudelte förmlich – sofern stehende Gewässer sprudeln konnten. »Ich weiß gar nicht, wie ich euch danken soll«, sagte er. Judith wusste es ebenfalls nicht. Zudem wusste sie nicht, wofür. Ali: »Es ist schon schön, so eine Schwester zu haben, die für einen da ist, wenn man in einer Notlage ist.« Judith: »Ja, doch. Wieso?« Ali: »Dass du Hannes dazu gebracht hast. Hedi ist so glücklich. Und du wirst sehen, ich brauche bald überhaupt keine Medikamente mehr.« So, jetzt reichte es dann: »Ali, Klartext! Wozu habe ich Hannes gebracht?« Ali: »Sag bloß, du weißt nichts davon.«

Was sich nun herausstellte: Bereits am Tag nach ihrem Besuch hatte Hannes ihn angerufen und ihm diesen Traumjob angeboten. Ali hätte nichts weiter zu tun, als Apotheken und Drogerien zu fotografieren, zunächst nur in oberösterreichischen Gemeinden, später dann auch in anderen Bundesländern. Tags darauf hatte ihn Hannes abgeholt, sie waren nach Schwanenstadt gefahren, um das erste Projekt zu besichtigten. Hannes hatte erklärt, was ihm bei den Bildern, allesamt nur Außenaufnahmen der Gebäude, wichtig war. Danach hatten sie einen Pauschalvertrag für ein halbes Jahr aufgesetzt. »Tausend Euro monatlich und sämtliche Spesen für ein paar simple Fotos, das ist ein Wahnsinn!«, schwärmte Ali. Judith brachte kein Wort heraus.

»Ich schäme mich, dass ich ihn so unterschätzt habe«, sagte der Bruder. »Solche Menschen sind besser als alle Therapeuten, die nur ihr Geschäft mit den Lebenskrisen anderer machen.« Nicht jene, die studierten, um einem dann zu sagen, dass man dringend eine Arbeit bräuchte, halfen einem, sondern jene, die einem die Arbeit tatsächlich verschafften. »Ja«, sagte Judith. Ihre Kehle war ausgetrocknet und gab keinen Ton mehr her. Ali: »Hannes hört nicht nur zu, er tut auch etwas. Einmal werde ich es ihm zurückgeben, das verspreche ich dir.« Judith: »Ja.« Ali: »Und du hast das Ganze eingefädelt, ich danke dir, liebe Schwester.«

Sie biss sich in die Lippen. Durfte sie ihn in seiner Euphorie bremsen? Durfte sie ihm den Job ausreden? Mit welchen Argumenten? Mit ihrem Bauchgefühl? – »Ich freue mich für dich, Ali«, sagte sie. »Und bei nächster Gelegenheit möchte ich gerne mit dir reden. Ich muss dir etwas erklären, etwas Wichtiges. Ich hoffe, du wirst mich verstehen. Aber das geht nicht am Telefon.«

5.

An den nächsten Tagen überraschte er sie mit Zurückhaltung, und das war gut so. Judith fühlte sich nicht oder zumindest noch nicht in der Lage, einen Abend mit ihm zu verbringen. Sie hatte sich eine Reihe aufwendig konstruierter Ausreden zurechtgelegt, um ein Treffen zu verhindern. Vielleicht wäre aber auch die Wahrheit aus ihr herausgeplatzt, das hätte dann so geklungen: »Tut mir leid, Hannes, ich bin derzeit einfach nicht in Stimmung, dich zu sehen. Deine Sehnsucht nervt mich. Dein Drängen ist mir zu viel geworden. Konkret – dein Überfall. Es ist dieses Bild vom kauernden Mann vor meiner Haustür um Mitternacht, der auf mich gewartet, der mich verfolgt, der mich heimgesucht hat. Diesen Mann bringe ich so schnell nicht aus meinem Kopf. Und er verträgt sich absolut nicht mit mir im gleichen Bett.«

Klärende Worte blieben unausgesprochen, denn erstaunlicherweise machte er keine Anstalten, nicht einmal Andeutungen, sie am Abend sehen zu wollen. Dreimal winkte er beim Auslagenfenster herein. Die Telefonate mit ihm waren kurz und herzlich. Er gab sich alle Mühe, witzig zu sein, und ein paar Mal gelang es ihm sogar – verhältnismäßig ungezwungen.

Jedenfalls, und das war die angenehme, neu entdeckte Seite an ihm, jedenfalls schien er seine erdrückende Schwermut abgelegt zu haben. Er übte sich im lockeren Plauderton, mied das pathetische Thema »Liebe des Lebens«, kramte in seiner Kiste der kleinen Aufmerksamkeiten und begnügte sich mit zarten Zitaten aus seinem Geheimlexikon der tausend schönsten Komplimente.

Nach einer Woche wohldosierter Nähe und ungebrochener Distanz hatte sie wieder genug Vertrauen gefasst, um ihn auf die Sache mit Ali anzusprechen. »Warum hast du das gemacht?«, fragte sie. Hannes: »Warum glaubst du wohl?« Judith: »Was ich glaube? Ich will nicht, dass es das ist, was ich glaube.« Hannes: »Jetzt interessiert mich noch mehr, was du glaubst, dass es ist.«

Judith: »Ich glaube, du hast es wegen mir gemacht.« Er lachte laut auf. Wenn das gespielt war, dann war es gut gespielt. Hannes: »Liebling, diesmal irrst du. Ich brauche die Fotos, ich muss eine Kartei anlegen. Ali braucht Geld, er muss eine Familie erhalten. Und Ali kann fotografieren. Ich wünschte mir, alle Geschäfte kämen so einfach zustande.« Judith: »Warum hast du vorher nicht mit mir darüber gesprochen?« Hannes: »Ich gebe schon zu, ich wollte dich damit überraschen, Liebling. Ich wusste ja, dass du dich für deinen Bruder freuen würdest.« Judith: »Hannes, du überraschst mich zu oft und zu heftig.« Hannes: »Liebling, das wirst du mir nicht abgewöhnen können. Ich liebe es, dich zu überraschen. Das ist mein schönstes Hobby, das ist mittlerweile fast schon mein Lebenssinn.« Dazu lachte er. Wenn er versuchte, selbstironisch zu sein, mochte sie ihn am meisten.

6.

Sein aktuelles Überraschungsangebot war das beharrliche Ausbleiben der Frage, ob sie wieder einmal einen Abend miteinander verbringen wollten. Nun waren schon zwei Wochen seit der Begegnung im Stiegenhaus vergangen. Hatte er plötzlich das Interesse an ihr verloren? Wollte er ihr nicht mehr nahe sein? Gab es da eine andere Frau? (Ein gleichermaßen befreiender wie bestürzender Gedanke.) Oder war nach viermonatiger Bekanntschaft oder Beziehung oder wie immer man es nennen wollte, nun einfach erstmals Judith an der Reihe, den nächsten Schritt zu setzen?

Es war halb elf Uhr nachts, sie lag auf ihrer ockergelben Couch, ließ sich von ihrer warmen Goldregenlampe beleuchten. Ein ereignisloser Sommerwerktag schien sich mit der dazu passenden Stimme eines Nachrichtenmoderators in gähnender Leere zu erschöpfen, da schrieb sie Hannes ein SMS: »Wenn du noch wach bist, dann bleib wach. Wenn du noch zu mir kommen willst, dann komm!!!!!« Drei der fünf Ausrufezeichen löschte sie, bevor sie die Meldung verschickte.

Zwei Minuten später langte seine Nachricht ein. »Liebling«, schrieb er, »heute nicht mehr. Aber morgen Abend können wir gerne essen gehen. Wenn DU willst!!!« Ihre Enttäuschung währte nur ein paar Minuten und stand in keiner Relation zu dem Glücksgefühl, das sie nun mit in den Schlaf nehmen durfte. Jenen Hannes, der nicht mehr auf Abruf bereitstand wie sein Vorgänger, diesen neuen Hannes wollte sie näher kennenlernen. Sie freute sich auf das erste Rendezvous mit ihm.

7.

Er musste einen Gelassenheitskurs absolviert haben. Die Begrüßung war beiläufig und bestand aus einer Drei-Sekunden-Handmassage und einem flüchtigen Kuss auf die Wange. Außerdem war er neun Minuten zu spät gekommen. Es waren die bisher ersten neun Minuten, in denen sie ihn, das musste sie zugeben, mit Bangen herbeigesehnt hatte. »Noch sechs Minuten, und ich wäre gegangen«, log sie. Er lächelte sanft. Wäre er nicht der Apothekenbauer Hannes Bergtaler gewesen, hätte man sogar sagen können, er lächelte souverän.

Sie wollte ihn im schönsten Licht sehen und hatte einen Fenstertisch an der Westseite gewählt, der noch vom Abendrot berührt wurde. Das tat seinen Sonnenfältchen gut. Und Omas Zähne legten sich, wenn er lachte, wie eine blütenweiße Hängematte von einem Ohr zum anderen. Leider fehlte der Fotoapparat. So hätte sie ihn gerne für immer in Erinnerung behalten.

Dass sie diesmal keinen Appetit hatte, wunderte sie. Dass er sich minutenlang in die Speisekarte vertiefte, erstaunte sie. Dass in seinen zurückgenommenen Gesten nichts, aber so gar nichts auf die stürmischen Gefühle hindeutete, mit denen er sie monatelang im Banne gehalten hatte, das begann sie erstmals zu verunsichern.

»Hat sich etwas verändert?«, fragte sie nach gut einer Stunde launigen, aber belanglosen Gesprächs. (»Liebst du mich nicht mehr?« hatte sie zum Glück dann doch nicht über die Lippen gebracht.) »Ja«, erwiderte er, »meine Einstellung hat sich geändert.« Es war der gleiche Ton, in dem er zuvor »Als Nachspeise empfehle ich dir das Erdbeer-Maroni-Törtchen« gesagt hatte.

Hannes: »Ich will vorsichtig sein. Ich will, dass du dich bei mir wohlfühlst. Ich will dich mit meiner Liebe nie mehr bedrängen.« Judith: »Das ist schon gut so, und das weiß ich auch sehr zu schätzen, mein Lieber.« Sie griff nach seiner Hand, er zog seine zurück. Hannes: »Aber?« Judith: »Kein Aber.« Hannes: »Doch, ich merke es, da ist ein Aber.« Judith: »Aber du musst deswegen nicht vollständig darauf verzichten, mir zu zeigen, dass ich dir etwas bedeute.« Hannes: »Ich kann es nur so oder so.« Judith: »Das ist zwar ehrlich, aber, ehrlich, es ist nicht gut. Wie war das in deinen früheren Beziehungen?« Hannes: »Darüber will ich nicht reden. Was vergangen ist, ist vergangen.« Die Sonne war auch bereits untergegangen. »Wollen wir gehen?«, fragte er. »Gute Idee«, sagte sie.

8.

Eigentlich hätte sie ihn schon auf dem Nachhauseweg gerne geküsst, sie konnte es, offen gestanden, kaum erwarten, aber sein Schritt war so gleichmäßig und zielgerichtet, dass sie ihn nicht stoppen und aus dem Rhythmus bringen wollte. Als sie das Haustor öffnete, blieb er unvermutet stehen und sagte: »So.« Judith: »Was, so?« Hannes: »Ich werde mich hier verabschieden.« Judith: »Wie bitte?« Hannes: »Ich komme nicht mehr mit.« Judith: »Warum nicht?« Sie hatte große Mühe, ihre Enttäuschung zu überspielen. Hannes:

»Ich glaube, es ist besser so.« Noch nie war etwas tatsächlich besser so gewesen, wenn jemand diese ekelige Floskel verwendete, dachte sie.

Judith: »Und wenn ich aber unbedingt mit dir schlafen will?« Hannes: »Dann freut mich das.« Judith: »Aber es erregt dich nicht.« Hannes: »Doch, das tut es.« Judith: »Aber?« Hannes: »Kein Aber.« Judith: »Doch, ich merke es, da ist ein Aber.« Hannes: »Aber Erregung ist nicht alles.« Judith: »Okay, Hannes, einmal probiere ich es noch: Ich wünsche mir, dass du diese Nacht mit mir verbringst. Ich wünsche es mir sehr, sehr, sehr!« Hannes: »Das ist schön.« Judith: »Aber?« Hannes: »Aber ich will nicht nur einzelne Nächte mit dir verbringen.« Judith: »Sondern?« Hannes: »Ein ganzes Leben!« Die Pause danach war notwendig.

Judith: »Ah, guten Abend, Herr Bergtaler, ich hätte Sie heute fast nicht wiedererkannt.« Er schwieg. Judith: »Im Übrigen wird es schwer sein, ein ganzes Leben mit einer Frau zu verbringen, mit der man keine einzelnen Nächte verbracht hat. Zuerst die Nächte, dann das Leben. Darum noch eine letzte Zugabe zu meiner Frage: Kommst du mit?« Er schwieg. Sie betrat langsam den Hausflur und machte sich daran, die Tür zu schließen. Er blieb stehen. »Gute Nacht!«, warf sie ihm spitz durch den Türspalt zu. »Mein Gute-Nacht-Gruß befindet sich in deiner Umhängetasche, Liebling!«, rief er ihr nach.

Einige rastlose Stunden im Bett gelang es ihr, den Fremdkörper in ihrer Tasche zu ignorieren – von einer Serviette mit der Aufschrift »Schlaf gut!« oder »Ich liebe Dich« bis zu einem Zwillingsbruder des hässlichen Bernsteinringes traute sie Hannes jede Geste zu. Gegen drei Uhr früh sah sie nach, um endlich einschlafen zu können. Der Gute-Nacht-Gruß sollte sie freilich weitere Stunden wach halten. Er bestand aus einem Kuvert mit Flugtickets: Venedig, drei Tage, zwei Personen, drei Nächte, ihr Name, sein Name. Geplanter Abflug: Freitag. Übermorgen. Dazu ein viel zu dickes Bleistiftherz und seine unverkennbare Handschrift: »Überraschung!«

9.

Venedig war unschuldig. Es tat, was es konnte, um seinem Begriff von Romantik gerecht zu werden. Aber gegen Hannes Bergtaler stand es mitsamt seinen bunten Gondeln und grünen Kanälen von Beginn an auf verlorenem Posten. Judith erkannte schon an seinem fiebrigen Forscherblick beim Antritt der Reise, an seinem Fremdenführerkuss zur Begrüßung und an seinem Expeditionsköfferchen, dass es ein Fehler war, das Geschenk angenommen zu haben. Sie tröstete sich damit, dass es bestimmt der letzte Fehler dieser Art gewesen sein würde.

Sie residierten in einer kleinen Vier-Sterne-Suite mit Balkon an einer der 426 historischen Brücken. Hannes kannte jede; Judith musste sich also keine merken. Man mochte meinen, er war in Venedig aufgewachsen. Doch er versicherte, vorher noch nie da gewesen zu sein.

Jedenfalls kannte er Venedig beinahe besser als es sich selbst. Es Judith näherzubringen war, wie sich bald herausstellte, der tiefere Sinn der Reise, der tiefere und auch der seichtere – der gesamte, der einzige. Judith unternahm erst gar keinen Versuch, dagegen anzukämpfen. In seinem Drang, ihr die Welt (diesmal in Form von Venedig) zu Füßen zu legen, war Hannes unbelehrbar und unerbittlich.

Sex verschoben sie wegen (ihrer) Erschöpfung und weil Sex einem (sein) Venedig ohnehin nicht anschaulicher machen konnte, von einer Nacht auf die nächste. Tagsüber standen nach einem geografisch ausgeklügelten System Museumsbesuche, Besichtigungen der Sehenswürdig- und -unwürdigkeiten, zeitlich limitierte Kaffeepausen, die Hannes für kleine Architektur-Privatseminare nutzte, und Ausflüge an die Peripherie, »das geheime, versteckte, aber wahre und echte Venedig«, auf dem Programm. Für die drei Abende hatte er Tische in bekannten Restaurants reserviert und jeweils die besten Violinkonzert- und Theaterkarten organisiert. Vermutlich waren selbst die Garderobeplätze vorbestellt gewesen. Nun konnte sich Judith ausmalen, womit er die vergangenen zwei Wochen beschäftigt gewesen war.

Wieder bemerkte sie, dass jedes ihrer Gefühle zu Hannes an Verpflichtungen gekettet war. Diesmal war sie ihm Dank und Anerkennung schuldig. Was war er doch für ein Elite-Reiseführer, was für Trümpfe schüttelte er aus dem Ärmel, um ihr unablässig seine Liebe zu beweisen! Wenn man allerdings drei Tage lang in Stundenintervallen beeindruckt sein musste, schaffte man es irgendwann nicht mehr. Nach zwei Tagen hatte Judith genug vom chronisch überreizten Bergtaler-Venedig und täuschte Migräne-Anfälle vor.

In der dritten und letzten Nacht wurde sie von schlechten Träumen wachgerüttelt und fand sich am Rücken liegend, eingeklemmt zwischen seinen Armen und Beinen. Versuche, sich herauszuschälen, ohne ihn dabei aufzuwecken, scheiterten. Sie hasste sich dafür, sich und ihn in diese Lage gebracht zu haben. Der Zustand versetzte sie zudem in Panik, die sich mit einem Gefühl tiefer, von der Stille und Finsternis genährter Traurigkeit mischte. Mit ihrer freien rechten Hand ertastete sie den Schalter und drehte damit den filigranen Deckenluster auf. Erst glitzerten die Glaskristalle klar in ihren Farben, die Judiths Kindheit zeichneten. Dann begannen sie ineinander zu verschwimmen und lösten sich langsam in Tränen auf.

Schließlich wurden sie von Sturzbächen aus ihren Augen geschwemmt.

Die Schluchzgeräusche unterdrückte sie, so gut es ging. Es galt nur noch, unbemerkt ein paar Stunden dieser grauenhaften Bewegungsunfreiheit zu überstehen. Aber sofort nach Venedig musste es heraus. Sie musste es ihm sagen. Mehr noch: Sie musste es ihm so sagen, dass er es verstand. Sie musste sich im guten Einvernehmen von ihm trennen. Schon der Gedanke daran jagte ihr Angst ein.

Phase fünf

1.

»Es hat nichts mit dir zu tun«, sagte sie. Zum Einstand gleich einmal die unverschämteste aller Lügen. Sie ließ drei Zuckerwürfel in die Kaffeetasse fallen. Hannes ertränkte seinen Blick, von dem sie gar nicht wissen wollte, welcher Art er war, in einem Glas Wasser. So schön konnte keine Beziehung gewesen sein, dass sie das Elend einer Trennung rechtfertigte.

Judith: »Ich bin momentan einfach nicht fähig für eine enge Bindung.« Verdammt, warum fuhr er nicht erbost dazwischen? Warum lächelte er sie so gütig an? Judith: »Hannes, ich … es tut mir so leid.« Er zerdrückte mit der Daumenkuppe eine Träne auf ihrem Nasenrücken. Sie beschloss, dass es ihre letzte war.

»Du bist so ein wunderbarer Mensch«, sagte sie. »Du hast dir eine ganz andere Frau verdient, eine, die sich ihrer Gefühle sicher ist, eine, die dir das zurückgeben kann, was du ihr gibst, eine, die …« – Kein Wunder, dass er kaum noch zuhörte. Er zog aus seiner großen schmalen Mappe ein Blatt Papier heraus und legte es auf den Tisch. »Hast du's bemerkt?«, fragte er spitzbübisch, viel zu gut aufgelegt für die Situation. In einem Café an der Seufzerbrücke waren sie in seinem Auftrag von einem Straßenkünstler gezeichnet worden. Deshalb also hatte er seine Wange dort minutenlang an ihre gepresst. Sein Gesicht war ganz gut getroffen, aber ihr eigenes verklärtes war ihr fremd. Wie sollte ein Zeichner in Venedig auch erahnen können, wie sie aussah, wenn sie verliebt war.

»Hannes, es ist besser, wenn wir uns jetzt eine Zeitlang …« – »Ja klar«, unterbrach er, »du kannst die Zeichnung gerne behalten, als kleine Erinnerung.« – »Danke«, sagte sie. Sie war irritiert. Das konnte eher noch nicht der Abschied gewesen sein. Hannes: »Vielleicht haben wir zu viel in Venedig hineingepackt.« Judith: »Nein, nein. Es war perfekt so, wie es war. Ich werde es in schöner Erinnerung behalten, das verspreche ich.« (Sie konnte ihre Schande bis in die Schläfen spüren. Solche Sätze hätte nicht einmal ihr Vater ihrer Mutter angetan.)

»Hasst du mich jetzt?«, fragte sie, in der Hoffnung auf ein sattes Ja, am Höhepunkt ihrer Verlegenheit. Sie konnte nicht verhindern, dass er ihre Hand nahm und sie zu seinem Mund führte. Wenn man jemanden verließ, musste man sich das alles gefallen lassen. Hannes: »Dich hassen?« Er lächelte. »Liebling, du weißt nicht, was du redest.« Schlimmer noch, befürchtete sie: Er wusste nicht, wovon sie sprach. Und er sollte überdies langsam damit aufhören, sie Liebling zu nennen, dachte sie.

»Na dann«, sagte sie, als die Pause unerträglich lang geworden war. »Na dann«, sagte er, als schrie diese gute Pointe danach, wiederholt zu werden. Auf der Zunge lag ihr: »Wir werden uns sicher wieder einmal über den Weg laufen.« Doch sie legte noch eine schmerzstillende Dosis Zweckoptimismus darüber und wählte: »Wir werden uns bestimmt nicht aus den Augen verlieren.« Jetzt lachte er mit seiner gesamten Weißzahnpalette: »Nein, das werden wir bestimmt nicht.« Sie stand auf und wandte sich, um einen dramatischen Abschiedskuss zu verhindern, sofort dem Ausgang zu. »Das werden wir bestimmt nicht, Liebling«, rief er ihr nach.

2.

Am Abend beschwor sie alle guten und bösen Satelliten der Television, mit Unterstützung von ein paar Gläsern Rotwein ihr Gehirn zu versülzen. Sie fühlte sich nicht in der Lage, Menschen zu sehen oder gar Freunde zu treffen, um ihnen von ihrem professionell durchgezogenen Scheitern zu berichten. Sie wusste nur so viel, und das behielt sie gerne für sich: Hannes war für sie der letzte Mann, mit dem sie es probiert hatte, ohne ihn so sehr zu lieben, dass sie sich ihrer Fähigkeit sicher sein konnte, ihn dauerhaft neben sich zu ertragen. Noch einmal würde sie sich und einem anderen so einen demütigenden Rückzug nicht mehr zumuten.

Gegen zehn Uhr wurde sie von ihrem Handy-Fünfton aus einer dieser Soap-Serien mit aufgezeichneten Lachsalven gerissen. Hannes schrieb: »Darf ich dir ein SMS schicken, wenn es mir nicht gutgeht?« – »Natürlich, wann immer«, sandte sie ihm zurück, gepeinigt von ihrem schlechten Gewissen und dankbar über seinen dezenten Versuch der Frustbewältigung. Danach schaltete sie das Handy ab.

In der Nacht wachte sie mehrmals auf und überzeugte sich davon, dass er nicht neben ihr lag. Schließlich resignierte sie, drehte alle Lichtschalter an, setzte sich gegen allfällige Geräusche aus dem Stiegenhaus den Kopfhörer auf, beschwichtigte ihren Sehsinn mit Anfangsbuchstaben aus dem neuen T.C. Boyle und wartete, bis der Radiowecker sie erlöste.

In der Früh zwang sie sich zu Eile und Geschäftigkeit. Als sie das Haustor hinter sich schloss – hätte sie sich nur nicht umgedreht! –, sprang ihr der auf der Klinke hängende Plastiksack mit der Aufschrift »FÜR MEINE JUDITH« ins Auge. Darin befanden sich drei in Papier gehüllte gelbe Rosen, dazu der kryptische Hinweis »WAS HABEN DIESE …« und die Bekenner-Zeichnung, das zu breit geratene Hannes-Herz. Sie musste ihm heute noch klarmachen, dass er sofort aufzuhören hatte, sie mit Blumen zu beschämen. Was hatte er überhaupt vor ihrem Haustor zu suchen?

3.

»Frau Chefin, Sie schauen krank aus«, meinte Bianca am Vormittag im Licht der neu installierten Lampenlieferung aus Lüttich. »Aber nein, Mädel, ich bin nur schlecht geschminkt«, erwiderte Judith. Gegen solch griffige Argumente war Bianca machtlos.

»Frau Chefin?« – Schon am Tonfall erkannte Judith, dass sich etwas Unangenehmes ankündigte. Bianca: »Ihr Freund war da und hat das abgegeben, er hat's sehr eilig gehabt, und ich habe gefragt, ob ich Ihnen was ausrichten soll, und da hat er gesagt, ja, ich soll Ihnen was ausrichten, und zwar soll ich Ihnen ausrichten, dass er Sie über alles liebhat. Volle süß bitte! So einen Mann will ich auch einmal.« Sie überreichte ihr die Blumen: drei gelbe Rosen, ein Zettel mit der nichts-sagenden Botschaft »… UND DIESE …«, eingerahmt in ein dickes Albtraumherz.

Sie zog sich in ihr Büro zurück und aktivierte ihr Handy, um Hannes jede weitere Blume zu verbieten. Elf neue Nachrichten waren eingelangt. Elf Mal sein Name. Elf Nachrichten im gleichen Wortlaut. Zwei Uhr dreizehn: »Es geht mir nicht gut.« Drei Uhr dreizehn: »Es geht mir nicht gut.« Vier Uhr dreizehn: »Es geht mir nicht gut.« Elf Mal ging es ihm nicht gut, je auf die Minute genau in Stundenintervallen, ohne Rücksicht auf Tag und Nacht. Noch eine knappe Vier-telstunde, und es würde ihm wieder nicht gutgehen, spürte sie. Und falls sie es vergessen oder verdrängen sollte – er wollte sie pünktlich daran erinnern.

Sie wählte seine Nummer und landete auf seiner Mobil-box. »Hannes, bitte hör auf damit! Schick mir keine solchen SMS-Serien mehr, ich bitte dich! Das hat doch keinen Sinn! Und lass das mit den Rosen! Wenn ich dir noch irgendwas bedeute, dann respektier bitte meine Entscheidung. Glaub mir, es geht mir auch nicht gut dabei. Aber es muss so sein. Bitte akzeptier das!«

Den restlichen Arbeitstag brachte sie mit Mühe über die Runden. Hannes hatte seine SMS-Tätigkeit nach ihrem Anruf eingestellt. Jetzt blieb ihr noch die Angst vor weite-ren Rosenattacken. Auf dem Nachhauseweg wurde sie vom steten Unbehagen begleitet, er könnte in ihrer Nähe sein. Vielleicht kam er ihr gleich auf halbem Wege entgegen. Vielleicht schoss er aus einer Ecke heraus. Vielleicht schlich er ihr nach. Vielleicht klebte er bereits an ihren Fersen.

Eine Vorahnung ließ sie den Umweg über die Flachgasse

machen, wo ihr Citroën parkte. Schon von weitem erkannte sie die längliche weiße Verpackung hinter ihrem Scheibenwischer: drei gelbe Rosen, ein Zettel, das Fragment einer Botschaft »… UND DIESE …«, eingerahmt in ein weiteres zu dick geratenes Herz. Sie tröstete sich mit der Hoffnung, dass er die Blumen wahrscheinlich noch vor ihrer telefonischen Beschwerde deponiert hatte.

Als die Wohnungstür endlich von innen verschlossen war, ließ die Anspannung nach, doch die Ruhe war nur von kurzer Dauer. Judith lag auf der ockergelben Wohnzimmercouch und gönnte sich gerade eine kleine Lichttherapie unter ihrer Rotterdamer Goldregenlampe, als die Türglocke rasselte. Der Schock ging sofort in Wut über. »Hannes?«, brüllte sie. Sie schwor sich, ihn zum Teufel zu schicken. »Ich bin's, Frau Grabner, die Hausbesorgerin«, erwiderte eine eingeschüchterte Stimme. »Bei mir ist etwas für Sie abgegeben worden.« – »Von wem?«, fragte Judith bemüht sanft, bei bereits geöffneter Tür. Grabner: »Ein Bote war da.« Judith: »Wann, wenn ich fragen darf?« Grabner: »Schon am Vormittag, gegen elf.« Judith: »Gegen elf. Vielen Dank, Frau Grabner!«

Die Blumen warf sie unausgepackt in den Müll, die neue Herzbotschaft »… ROSEN …« starrte sie, bevor sie den Zettel zerriss, noch eine Weile an. Im Geiste setzte sie die Satzfragmente zusammen: »WAS HABEN DIESE UND DIESE UND DIESE ROSEN …« Der Satz war unvollständig. Da warteten anscheinend weitere Geschenke auf sie.

4.

»Hast du schon alle, Liebling?«, fragte er. Er war sofort am Telefon, er hatte mit ihrem Anruf gerechnet. Judith: »Hannes, warum tust du das?« Er: »Ich dachte, du freust dich. Du hast dich immer gefreut. Du magst Rosen, ich weiß doch, wie sehr du Rosen magst.« Seine Stimme klang wie jene eines Sektenverführers. »Und die Farbe Gelb«, setzte er fort. »Du liebst Gelb. Du hast es immer gelb um dich gehabt in deinem Leben. Deine schönen gelben Haare, die schönsten der Welt. Du bist im Licht aufgewachsen, Liebling. Du bist ein Lichtkind.«

Sie: »Hannes, ich bitte dich, lass …« Er unterbrach sie. Sein Ton war plötzlich sachlich und streng: »Liebling, du musst dich nicht wiederholen. Ich habe deine Nachricht erhalten. Ich habe sie gespeichert. Ich kann sie jederzeit abrufen. Und ich respektiere deinen Wunsch. Ich werde dir in nächster Zeit keine Rosen mehr schenken, keine gelben und auch sonst keine.«

Sie: »Und wo sind noch welche? Was ist das für eine Botschaft, die du mir sagen willst. Wie lautet der Satz? Schließen wir das bitte ab! Ja?« Er: »Das ist ein Rätsel, Liebling. Es ist ein einfaches kleines Rätsel. Du kannst leicht dahinterkommen.« Ihre Stimme wurde lauter: »Bitte! Ich will nicht dahinterkommen! Ich will zur Ruhe kommen!« Er: »Fünfzehn Rosen insgesamt. Fünf mal drei. Eine kleine Aufmerksamkeit und eine kleine Aufgabe, sonst nichts. Du musst die große Kristallvase nehmen. Wie viele kleine Sträuße hast du bereits eingesammelt?« Sie: »Vier. Zuerst das Haustor, dann die Firma, dann das Auto, dann die Nachbarin. Wo ist der fünfte, Hannes? Sag es. Ich werde sonst … sonst … Du machst mich wütend!«

Er: »Wunderbar. Die Reihenfolge stimmt. Ich hab gewusst, dass du einen Abstecher zum Auto machen wirst, bevor du nach Hause gehst. Ich kenne dich, Liebling, ich kenne dich, und da dachte ich, du freust dich.« Sie: »Wo ist der letzte Strauß? Sag es!« Es entstand eine Pause. Er: »Die letzten Rosen … Wo sind wohl die letzten drei Rosen? Natürlich bei mir. Ich wollte sie dir persönlich bringen. Ich wollte heute …« Sie: »Du bringst mir ganz bestimmt keine Blumen und auch sonst nichts, Hannes. Wir sehen uns heute nicht. Auch nicht morgen und übermorgen. Ich will das nicht, bitte!«

Er: »Du musst mich nicht anschreien, Liebling. Das verletzt mich. Ich habe dich verstanden. Wenn du nicht willst, dass ich komme, dann komme ich nicht. Wenn dir Venedig zu viel war, wenn du eine Pause brauchst, dann respektiere ich das.« – »Hannes«, sagte sie, ganz ruhig, »ich brauche keine Pause. Ich – habe – gestern – mit – dir – Schluss – gemacht. Erinnerst du dich? Und würdest du das bitte zur Kenntnis nehmen?« Zur Bestätigung trennte sie die Verbindung.

5.

Drei Tage hörte und sah und roch sie nichts von ihm. Es waren drückend schwüle Regentage. Bedrückend – das entsprach auch ihrer Gemütsverfassung und ihrem körperlichen Zustand. In der Früh erwachte sie mit einem dumpfen, flauen Gefühl, als wäre jemand mit vollem Gewicht auf ihrem Magen gelegen, zum Beispiel Hannes. Morgens und abends stahl sie sich unter dem Schutz ihres Regenschirms ins Lampengeschäft und wieder heraus. Tagsüber verschanzte sie sich – um den Kontakt zu einem gewissen potenziellen Kunden zu vermeiden –, sooft es ging, im Büroraum. Die Abende überstand sie daheim mit Büchern, Filmen und Musik im Licht ihrer Lampen. Alle paar Stunden dankte sie dem Telefon, dass es noch immer kein Signal von sich gegeben hatte.

Am vierten Tag nach der abrupt getrennten Verbindung ließ sie erstmals so etwas wie »Gesellschaft« zu. Lara und Valentin, die Händchenhalter, hatten sich bei ihr angekündigt, um ihr, da ihnen eine Frankreichreise bevorstand, jetzt schon, eineinhalb Wochen verfrüht, ihr Geburtstagsgeschenk vorbeizubringen, wahrscheinlich ein Kakao-Gefäß aus Gmundner Porzellan. In den Jahren davor hatte ihr Valentin (damals noch ohne Lara) je eine Gmundner Porzellankanne für Tee, Kaffee und Fruchtsaft geschenkt.

Nein, es wurde ein wirklich schönes böhmisches Wein- und Wasserglas-Set aus einem Josefstädter Antiquitätenladen. (Lara hatte offenbar ihren Einfluss geltend gemacht.) Judith hatte vor, ihnen, sowie der Name Hannes fiel, vom Scheitern ihrer Beziehung zu erzählen, bei irgendwem musste sie ja damit beginnen. Aber der Name fiel nicht. Wahrscheinlich ahnten sie, was geschehen war, weil er in Judiths Erzählungen, in ihren Urlaubs- und Zukunftsplänen nicht mehr vorkam. Venedig erwähnte sie nur beiläufig, als wäre der Kurzurlaub eine lästige Dienstreise gewesen,

durch die sich das dichte Kulturpflichtprogramm erklärte.

Die zweistündige Plauderei war nett und kurzweilig
und lenkte Judith von ihren zermürbenden Gedanken ab.
Beim Abschied überraschte Lara sie mit der tröstlichen,
augenzwinkernden Bemerkung: »Wird schon wieder!«
Und Valentin umarmte sie behutsam und aufmunternd wie
eine Krisengeschüttelte. Vermutlich musste man gar nicht
darüber reden, um alles zu wissen, dachte sie.

6.

Mit angenehmer Müdigkeit und in der Hoffnung auf sieben
traumlose Stunden betrat sie das Schlafzimmer und drehte
das Licht des Prager Messinglusters an. Ein paar Augenblicke betrachtete sie misstrauisch das Bett, bis sie wusste,
dass es die Wölbung am Fußende war, die sie irritierte, weil
sie vor wenigen Stunden noch nicht da gewesen war. Sie zog
die Bettdecke zurück – und schrie nur deshalb nicht auf,
weil es nicht wahr sein konnte, weil das Fenster geschlossen
war, und durch die Tür konnte er nicht eingedrungen sein.

Aber trotzdem – da lag dieses schmale, längliche, kegel-
förmige wahnwitzige Ding auf dem Leintuch. Und oben
ragten drei gelbe Rosenköpfe heraus. Sie ergriff die Stengel
und schleuderte sie gegen die Wand, versuchte sich zu beruhigen, kauerte sich mit an die Brust gepressten Beinen
neben das Bett, bemühte sich, Ordnung in ihren Kopf zu
bekommen: Zuerst der Zettel. Sie kroch zu den geknickten
Blumen, stieß sogleich auf das dicke Bleistiftherz. Daneben

stand in Blockbuchstaben: »... GEMEINSAM?« Das ver-
dammte Rätsel war nun komplett: »WAS HABEN DIESE
UND DIESE UND DIESE ROSEN GEMEINSAM?« – Gelb
waren sie. Von Hannes kamen sie. Ausgeliefert war sie ihnen. Angst jagten sie ihr ein. Scheiße.

Endlich ein Anflug von Logik: Es gab nur eine einzige
Möglichkeit, wie die Blumen in ihr Bett gelangt sein konnten. – Bei Valentin landete sie in der Mobilbox, bei Lara er-
tönte das Freizeichen. Lara: »Hallo.« Judith: »Hallo. Habt ihr
mir die Rosen unter die Decke gelegt?« (Sie verstellte ihre
Stimme, sodass sie halbwegs normal klang. Niemand durfte ahnen, in welchem Ausnahmezustand sie sich befand.)
Lara: »Ja, sicher. Der Heilige Geist war es nicht. Das war eine
Überraschung, nicht wahr?« Sie kicherte. »Wir wollten auch
einen kleinen Beitrag zu eurer Versöhnung leisten.« Judith:
»Versöhnung?« Und dann erzählte Lara die Geschichte.

Seit einigen Wochen trafen sich Hannes und Valentin
regelmäßig zum Tennisspiel. (Das hatten sie sich bereits
bei der ersten Begegnung im Mai, auf Ilses Terrasse, vorgenommen. Interessant. Nie hatte Hannes auch nur ein Wort
davon erwähnt.) Nach dem Spiel saßen sie zumeist noch
beisammen, auch Lara war zwei, drei Mal dabei.

War Hannes in seiner offen deklarierten Liebe zu Judith
zunächst »der glücklichste Mensch auf Erden«, so erzählte
er ihnen vor zwei Tagen zerknirscht, dass die Venedig-Reise
leider »ein bisschen verunglückt« war, dass er sie, Judith,
»mit ein paar dummen Bemerkungen und Gesten« ver-
ärgert hatte und dass er nun »die kleine Beziehungskrise«
mit Rosen und anderen Aufmerksamkeiten wieder beizu-
legen trachte.

Da sie ohnehin vorhatten, Judith zu besuchen, fragte er sie, ob er ihnen das Blumengeschenk mitgeben durfte. Sie sollten es aber, das war sein Wunsch, geheim zurücklassen, verstecken, »vielleicht im Bett«, um den Effekt zu erhöhen und um Judith zu ersparen, über die »dumme Beziehungskrise« auch noch unnötige Worte zu verlieren.

»Na großartig«, murmelte Judith ins Handy, »jetzt setzt er auch schon meine Freunde auf mich an.« Lara: »Was sagst du?« Judith: »Lara, ich habe mich von Hannes getrennt, und zwar endgültig. Richte das bitte auch Valentin aus. Und allen anderen. Und vor allem Hannes, wenn ihr euch wiederseht, beim Tennis oder sonst wo!« Lara: »Ach Judith, du klingst so verzweifelt. Kopf hoch, es wird schon wieder, da bin ich mir sicher!« Judith: »Lara, es wird nicht. Es ist.«

7.

Mit jedem Tag ohne »Zwischenfall« wuchs ihre Hoffnung, dass er es nun kapiert hatte. Bianca wollte ihn einmal »an der Auslage vorbeihuschen gesehen« haben. »Warum kommt er nicht mehr rein, Frau Chefin?«, fragte sie. »Er ist momentan sehr beschäftigt«, erwiderte Judith. Auf Bianca konnte die Wahrheit noch eine Weile warten.

Im Grunde wartete die Wahrheit leider auf alle. Judith war noch nicht so weit, mit irgendjemandem über Hannes und die gescheiterte Beziehung zu reden. Ihr graute vor jedem »Kopf hoch!« und »Wird schon wieder!«, vor den enttäuschten Gesichtern ihrer Freunde und Vertrauten, die es so erbarmungslos gut mit ihr meinten, die nur das Beste für sie wollten und die nun mit ansehen mussten, wie ihr das Beste wieder einmal nicht gut genug war: Hannes, der Lotto-Sechser, der Prototyp des vom Zufall erzwungenen Lebensglücks. Da war er, der Traummann, exklusiv für sie, und sie ließ ihn einfach im Regen stehen, mitsamt seinen gelben Rosensträußen.

Mit jedem Tag ohne »Zwischenfall« wuchs freilich auch ihr Mitleid. Seine Situation war wohl noch beschissener als ihre. Für sie war er bloß ein schmerzlicher »Fehlversuch«, der personifizierte Beweis, dass heiß geliebt zu werden nicht ausreichte, um Gegenliebe zu erzeugen. Peinlich, dass sie mit ihrer Lebenserfahrung in so eine simple Falle getappt war. Er aber musste erst einmal damit fertigwerden, von jener Frau zurückgewiesen worden zu sein, die er in den Mittelpunkt des Universums gerückt und ins Visier seiner Sehnsüchte genommen hatte. Sie verwünschte sich dafür, ihm so lange dabei zugesehen zu haben.

Und wer war jetzt für ihn da? Freunde dürfte er kaum welche haben, nie hatte er von solchen erzählt. Frühere Beziehungen? – Sein Vorleben hatte er wie ein Geheimnis gehütet. Zu seiner jüngeren Stiefschwester und ihrer Familie hatte er keinen Kontakt. Sein leiblicher Vater war gestorben, als er noch ein Kind war. Mutter und Stiefvater lebten in Graz. Über die hatte er sich nur kühl und wortkarg ge-äußert. Blieben also einzig seine zwei blassen, konturlosen Bürokolleginnen?

Nach acht Tagen, zur Mittagszeit, rief sie ihn vom Büro aus an und wagte, persönlicher schaffte sie es nicht: »Wie geht es dir?« Hannes: »Danke, Judith, ich komme so halbwegs mit allem zurecht.« Die Anrede (erstmals Judith statt Liebling), die Stimmlage, die Stimmungslage, die Formulierung, der Inhalt – seine Antwort beruhigte sie in jeder Hinsicht. »Ich versuche mich mit meiner Arbeit abzulenken«, sagte er. »Wir haben ein paar größere Aufträge hereinbekommen.« – »Wir«, und sie war kein Teil davon, das hörte sich gut an, fand sie. Arbeit, Aufträge, ablenken – drei wichtige Wörter mit »A«.

»Und du, Judith?« – Sie: »Ach ja, es geht so.« Er: »Bist du viel unterwegs?« Sie: »Nein, nein, eher nicht, eher mehr daheim. Ich brauche, wie gesagt, ich brauche Ruhe und Abstand zu … äh … zu allem. Ich muss erst wieder zu mir finden.« Er: »Klar, das verstehe ich. Ist ja auch für dich nicht so einfach.« Sie: »Nein, das ist es nicht.« (Langsam musste sie aus diesem phänomenal aussagekräftigen Gespräch herausfinden, bevor es in den Trübsinn kippte.)

Er: »Und wie wirst du übermorgen deinen Geburtstag feiern?« Damit überfiel er sie, das kam zu plötzlich daher, sie hatte den Termin bisher erfolgreich weggeschoben, er hatte ihn vermutlich mit einem dicken Herz im Kalender eingerahmt. Er: »Mit der Familie?« »Ich … ich hab noch keine Ahnung, ich werde das spontan entscheiden«, log sie. Er: »Solltest du sie sehen, so lasse sie herzlich von mir grüßen.« »Das mache ich. Danke, Hannes.« Ihr Dank galt seinem schönen, förmlichen, respektvoll distanzierten Gruß.

Er: »So, ich werde dann wieder.« Phantastisch. Sie: »Ja, ich muss ebenfalls.« Sie: »Also dann.« Er: »Ach, eines noch, Judith. Hast du das Rätsel gelöst?« Sie: »Welches Rätsel?« Er: »Das Rätsel der Rosen. Was haben sie gemeinsam? Bist du dahintergekommen. Es ist ein leichtes Rätsel.« Seine Stimme hatte wieder den verklärten Klang angenommen. Das

Gespräch musste sofort zu Ende gehen. »Alle Rosen sind gelb«, sagte sie angeödet und hastig. Er: »Du enttäuschst mich, so einfach ist es nun auch wieder nicht. Du musst noch einmal nachsehen, versprich mir, dass du noch einmal nachsiehst. Du hast sie doch noch alle. Sie sind doch noch nicht verwelkt, Liebling?« – Darauf wollte sie keine Antwort wissen. »Liebling« musste das Schlusswort bleiben.

8.

Am dritten Julisamstag, an dem eine Kaltfront eingetroffen war, wurde sie alleinstehende siebenunddreißig – noch dazu »daheim« bei ihrer Mama. Ali war angereist, Hedi, höchst schwanger, an seiner Seite. Wahrscheinlich plante das Baby, gleichzeitig mit Judith Geburtstag zu feiern.

Schon die Begrüßung war sonderbar zeremoniell. Mama sah man in freudiger Weise aufgeregt wie schon seit Jahren nicht. Ali war beinahe nicht mehr als ihr Bruder zu identifizieren. Er hatte sich rasiert, trug ein gebügeltes weißes Hemd und lächelte grundlos, als hielte er das Leben als solches plötzlich für lustig. Man konnte den Eindruck gewinnen, es stehe ein ganz und gar außergewöhnliches Ereignis bevor.

»Hannes ist leider verhindert«, sagte Judith, erstaunt, dass nicht gleich jeder danach gefragt hatte – und nicht minder erstaunt, als danach jede Reaktion ausblieb. Sie wollte erst einmal eine Stunde überstehen, bevor sie ihnen – und das hatte sie sich fest vorgenommen – die Trennungsgeschichte in all ihren heiklen Teilkapiteln erzählte.

»Es gibt heute eine ganz besondere Überraschung, Judith, für uns alle«, verkündete Ali, der noch nie davor in der Familie das Wort als Erster ergriffen hatte. Sie standen um den mit Kerzen beleuchteten Tisch.

»Eine Überraschung für uns alle?«, fragte sie ängstlich. »Ja, sie wartet im Schlafzimmer«, verriet Hedi. »Nein, bitte nicht«, murmelte Judith. Ihr Bedarf an im Schlafzimmer lauernden Überraschungen war bis an ihr Lebensende gedeckt. Ali klopfte, erwartungsvoll wie seinerzeit, als noch mit der Erscheinung des Christkinds zu rechnen war, an die Tür. Sie öffnete sich. Ein paar Stimmen bemühten sich um ein unpassendes, aber wenigstens gleichzeitiges »Happy Birthday, dear Judith«. Sie staunte wirklich und sagte: »Vater! Wahnsinn! Das gibt's ja nicht. Was tust du hier?«

Zunächst einmal umarmte er sie, herzlicher, väterlicher, als es ihrem über die Jahre trainierten Verhältnis entsprach. Dann verteilten sich rasch ein paar einheitlich in Goldpapier verpackte Geschenke. Danach stieß man mit Sekt auf ein paar »Gs« an, »auf Geburtstag, Gemeinsamkeit, Glück« und ähnliche Dinge. Gesundheit war sicher auch dabei.

Dann setzte man sich an den Tisch. Ali, dem sich Vater ungewöhnlich liebevoll widmete, drehte eine Runde mit dem Fotoapparat. Für den Anlass legte Vater seinen Arm um Mamas Schulter, ein zugegeben rührendes Bild, das seit Judiths Volksschulzeit nicht mehr zu sehen gewesen war. Dazwischen sickerte durch, dass sie sich »angenähert« und schon ein paar Mal getroffen hatten. Ali flüsterte Judith zu, dass sogar ein »zweiter Versuch«, ein Zusammenleben der beiden, in Aussicht stand.

Judith bemühte sich, ihre Freude echt wirken zu lassen.

Für sie kam die Rückbesinnung des Vaters an die Familie zwei Jahrzehnte zu spät. Das wahre Geschenk an sie, eines der schönsten überhaupt, war ihr wie verwandelter, ihr zum Leben erwachter kleiner Bruder. Vater und Mutter, in Harmonie an einem Tisch – auf diese simple Therapie sprach Ali geradezu euphorisch an.

»Und jetzt zu dir, Judith«, sagte Mama. Eine angenehme Stunde, die tatsächlich an die Geburtstagsfeiern der frühen achtziger Jahre erinnerte, war vergangen. Die Torte mit ihrem dicken rosa Zuckerguss war bereits aufgegessen. Genug der Familienidylle – es war Zeit für einen radikalen Stimmungswechsel.

Mama: »Kind, Kind, du machst uns Sorgen.« Wie dieser sich süßlich einschleichende Vorwurf gleich an Bitterkeit und Strenge gewann, wenn Vater danebensaß und solidarisch nickte. Ali wandte seinen Blick zur Seite, Ali, der Unparteiische, der Konfliktscheue, der ewig Balance suchende kleine Bruder. Hedi legte beide Hände flach auf ihren Bauch, als wollte sie ihrem Baby Augen und Ohren zuhalten.

Mama: »Wieso hast du uns kein Sterbenswort davon erzählt, dass du Probleme hast?« – Probleme? Hatte sie Probleme? – »Ich habe mich von Hannes getrennt«, sagte sie trotzig. »Wo ist das Problem?« Die Beteiligten schwiegen ergriffen. Es war, als hätte Judith soeben reuelos ein Tatgeständnis abgelegt.

»Ja, aber warum, um Himmels willen?«, fragte Mama. Sehr überrascht war sie offenbar nicht, lediglich am Boden zerstört und mit den Nerven am Ende. Judith spürte eine gewisse Wärme in sich hochkommen, aus der leicht Zornesröte produziert werden konnte. »Weil ich ihn nicht genug liebe, ganz einfach«, sagte sie. Mama: »Nicht genug liebe. Nicht genug liebe. Wann liebst du eigentlich einmal genug? Welcher Märchenprinz muss denn da daherkommen, damit du einmal genug liebst? Kind, höre auf zu träumen, werde endlich erwachsen!«

So. Die Wärme hatte nun ihre Wangen erreicht und brannte bereits in den Schläfen. Judith schickte sich an, aufzustehen und zu gehen, ein altes Ritual aus der Schulzeit. Da schaltete sich, und das machte die Szene modern und pittoresk, beschwichtigend Vater ein und sagte: »Judith, bitte komm, bleib sitzen. Du darfst es Mama nicht übelnehmen, wie sie reagiert. Du musst es im Zusammenhang sehen. Wir müssen dir etwas erklären.«

»Weißt du, wem es zu verdanken ist, dass wir hier alle gemeinsam sitzen?«, fragte Vater. Eine fürchterliche Ahnung stieg in ihr hoch und drückte ihr gleichzeitig die Magenwände ein. »Hannes.« Ali war es, der das Zauberwort endlich aussprach. Hannes hatte Vater angerufen. Hannes hatte sich mit Vater getroffen. Hannes, der Architekt, der Lebensgefährte seiner Tochter, der Arbeitgeber seines Sohnes, Hannes wollte der »Liebe seines Lebens« zum Geburtstag »das Geschenk der Geschenke« bereiten, unbezahlbar, unüberbietbar, unersetzbar: Vater und Mutter. – »Mir kommen gleich die Tränen« lag ihr auf der Zunge. Aber erstens war Ali anwesend, so anwesend wie schon lange nicht. Und zweitens war sie damit beschäftigt, ihre Wut im Zaum zu halten. An ihren zitternden Händen erkannte sie, dass nicht mehr viel zu einem heftigen Ausbruch fehlte.

Hannes, Mama und Vater – mehrere Stunden waren sie zusammengesessen. Ali war dann noch dazugekommen. Stöße von Fotoalben hatten sie durchgeblättert, alte Geschichten erzählt, in Judiths (und auch Alis) Kindheit gekramt. »So eine Familie hab ich mir immer gewünscht«, hatte er gesagt.

Und so ein »Schwiegersohn« hat ihnen offenbar immer gefehlt, wusste Judith, einer, der die Scherben alter Zeiten aufhob und zusammenkittete. Darüber dann der rosa Zuckerguss. Und schnell noch ein, zwei Enkelkinder, bevor die Tochter zu alt für Babybäuche war. Jetzt zitterten auch ihre Knie.

Sie: »Ich finde das verletzend und demütigend! Warum habt ihr nicht zuerst mit mir geredet?« Mama: »Hast du denn mit uns geredet?« Vater: »Es ist doch um dich gegangen. Es sollte eine Geburtstagsüberraschung sein. Hannes hat es so gut gemeint.« Mama: »Wir konnten ja nicht ahnen, dass du diesen Mann …« Judith: »Diesen Mann liebe ich nicht, tut mir schrecklich leid!« Pause für allgemeine Betretenheit. Ali, kleinlaut, schlichtend: »Was soll's. Wenn sie ihn nicht liebt.« Er zuckte mit den Schultern, ehe er sie hängen ließ. Er hatte nun wieder sein trauriges Gesicht. Und sie war schuld, das verrieten Vaters, Mamas und Hedis Blicke.

»Gestern hat er mich angerufen und gesagt, dass er bei der Feier nicht dabei sein kann«, klagte Mama, knapp bevor Judith tatsächlich aufstand und ging. »Aber warum denn nicht?« – »Judith will es nicht.« – »Judith?« – »Sie hat mir den Laufpass gegeben.« – »Nein, du machst Witze!« – »Sie ist momentan nicht fähig für eine enge Bindung, sagt sie.« – »Nein!« – »Sie braucht Zeit, wir müssen ihr Zeit geben.« – »Zeit? Sie wird morgen siebenunddreißig. Wir werden mit ihr reden, ich und Vater.« – »Das müsst ihr nicht. Die Dinge werden schon von selbst wieder ins Lot kommen. Ich bin geduldig.« – »Ach Hannes, es tut mir so leid.« – »Ich wünsche euch jedenfalls eine schöne Feier.« – »Ach Hannes.« – »Und denkt ein bisschen an mich.«

Phase sechs

1.

Danach wurde es wieder still um ihn, eindringlich still. Sie hatte ihn täglich, nächtlich, stündlich vor sich, wie er seinen nächsten Auftritt vorbereitete. Diesmal wollte sie sich dagegen wappnen. Aber alleine schaffte sie es nicht. Judith, die Kämpferin, die nie jemanden gebraucht hatte, um mit Lebenskrisen und ihren Verursachern fertigzuwerden, deren größtes Problem es stets gewesen war, Probleme mit anderen zu teilen, sie hatte es plötzlich mit einem übermächtigen Gegner zu tun, mit der Ungewissheit.

Die Nächte begannen zu früh und endeten zu spät. Schlaftabletten, Judiths erste Verbündete, gaben ihre Wirkung bald auf. Es half nichts, sie musste sich mit jemandem aussprechen, ein Vertrauter musste her. Ihre Eltern und Bruder Ali schieden aus. Die hatte sie, was Hannes betraf, für die nächste Zeit abgeschrieben. Kontakt zu ihnen bedeutete Kontakt zu ihm. So leicht wollte sie es ihm nicht machen.

Große Hoffnungen setzte sie auf Gerd. Sie tarnte ihren Hilferuf mit einem Kinobesuch. Danach in der Rufus-Bar – milchiges Neonlicht, glanzlose Augen, kein Raum für Geheimnisse – sprach sie es endlich aus: »Gerd, ich habe mit Hannes Schluss gemacht, aber er will es nicht akzeptieren. Ich fühle mich verfolgt. Ich habe Angst vor ihm. Was soll ich tun?«

»Ich weiß«, sagte Gerd, »aber ich kann dich beruhigen.« – Das Gegenteil war der Fall. Sie: »Was weißt du? Spielt ihr Tennis? Seid ihr dicke Freunde? Bezahlt er dir einen Job? Hast du gelbe Rosen für mich dabei?« Er: »Judith. Was ist los mit dir? Du zitterst. Höchste Zeit, dass wir darüber reden. Ich kann dich beruhigen, meine Liebe, ich kann dich wirklich beruhigen. Hör mir zu.«

Hannes habe zwei Tage zuvor bei ihm angerufen, ganz im Vertrauen, und um einen »Ratschlag in einer sehr persönlichen Angelegenheit« gebeten. Ungefähr hätte Hannes Folgendes gesagt: Judith hat unsere Beziehung beendet. Für mich kam das aus heiterem Himmel. Eine Welt ist zusammengestürzt. Ich habe in meiner ersten Verzweiflung falsch reagiert. Ich habe sie mit Blumen belästigt. Und dann habe ich mich auch noch mit ihrem Vater und ihrer Mutter getroffen und eine Familienfeier zu ihrem Geburtstag arrangiert. Ich hatte es gut gemeint, aber ich habe mich in private Dinge eingemischt, die mich überhaupt nichts angehen. Sie wird bestimmt böse auf mich sein. Ich würde mich gerne bei ihr entschuldigen. Ich will, dass wir im Guten auseinandergehen. Aber ich wage jetzt nicht mehr, mich bei ihr zu melden. Was meinst du, Gerd, wie soll ich mich verhalten? Was soll ich tun?

Gerd: »Ich habe ihm geraten, vielleicht noch ein paar Tage zuzuwarten und dich dann um eine Aussprache zu bitten. Reden ist immer gut.« Sie: »Ich will keine Aussprache. Es ist bereits alles ausgesprochen. Ich will, dass er aus meinem Leben verschwindet. Ich glaube ihm kein Wort. Er fädelt das alles ein. Er versucht, alle meine Freunde für sich zu gewinnen.«

Gerd: »Judith, komm, beruhige dich. Er will dir nichts Böses. Er ist kein Unmensch. Er liebt dich, das kann man ihm nicht übelnehmen. Er muss das erst verarbeiten. Und er will sich ohnehin entschuldigen. Es ist doch besser, wenn man vernünftig über alles redet. Du musst ihn auch verstehen, es ist nicht leicht, wenn man plötzlich …« Sie: »Ich will ihn nicht verstehen. Ich will, dass du mich verstehst! Ich brauche jemanden, der mich versteht. Aber du bist es nicht, Gerd. Du bist auf seiner Seite. Er ist mir schon wieder zuvorgekommen.«

Gerd: »Was redest du da? Ich bin auf keiner Seite. Ich bin dein Freund, ich will, dass es dir gutgeht. Und ich möchte gerne vermitteln. Ich bin für friedliche Lösungen von Konflikten. Judith, Judith, das klingt ja fürchterlich, wie du dich da in diese Sache hineinsteigerst. Du fühlst dich echt verfolgt.« Sie: »Richtig Gerd, ich fühle mich echt verfolgt. Denn ich werde echt verfolgt. Aber ich werde mich schon darauf einstellen. Danke für deine Unterstützung.«

2.

Hannes hielt sich offenbar an Gerds Empfehlung, wartete noch ein paar Tage zu, rief Judith dann an und sprach ihr auf die Mobilbox: »Hallo Judith, ich will nicht, dass wir im Bösen auseinandergehen. Ich will auch nicht, dass du negative Gefühle hast, wenn du an mich denkst. Ich bitte dich um eine letzte Aussprache. Ich sehe meine Fehler ein. Können wir uns noch einmal treffen? Ich schlage vor: morgen, zwölf Uhr im Café Rainer. Wenn du dich nicht meldest, dann rechne ich damit, besser gesagt, dann hoffe ich, dass du kommst. Ich werde dort sein und auf dich warten. Also bis morgen!«

Sie meldete sich nicht und hatte auch nicht vor hinzugehen. Am nächsten Vormittag, im Lampengeschäft, konnte sie ihren Zustand der Angespanntheit und Aufgewühltheit nicht mehr verbergen und weihte ihr Lehrmädchen in die Sache mit Hannes ein. »Bitte, volle arg, Frau Chefin«, sagte Bianca, »aber ich verstehe Sie. Ich mag das auch nicht, dass mir wer nachrennt, wenn ich ihn nicht mehr liebe. Und bei mir kann das auch megaschnell gehen, dass mir ein Typ super am Zeiger geht.« Dazu machte sie die passende angewiderte Miene. Würde mir so ein Gesicht gelingen, hätte ich Hannes längst abgeschüttelt, dachte Judith.

Bianca: »Aber gehen Sie heute zum Treffen, Frau Chefin! Dann haben Sie's hinter sich. Sonst fragt er Sie morgen wieder und übermorgen. Ich kenne das, manche wollen es einfach nicht begreifen.« Schon seltsam, dass ausgerechnet Bianca die Erste sein sollte, die sich halbwegs in ihre Lage versetzen konnte. Vielleicht war Hannes in seiner Emotionalität in ihrem Alter stecken geblieben. »Ich danke Ihnen, Bianca«, sagte sie. »Cool bleiben, Frau Chefin!«, erwiderte die Sechzehnjährige.

3.

Er saß geduckt an dem Fenstertisch links beim Eingang. Sie war schockiert, wie er aussah. Er war unrasiert, hatte fettes strähniges Haar, seine Wangen waren eingefallen, seine

Haut schimmerte grünlich-blass. Seine Augen traten hervor, als er zu ihr aufsah. »Schön, dass du gekommen bist«, sagte er. Er hatte anscheinend Schluckbeschwerden, plagte sich jedenfalls beim Sprechen.

Judith: »Bist du krank?« Er: »Nicht, wenn ich dich sehe.« Sie bereute bereits, dass sie gekommen war. Sie: »Du solltest zum Arzt gehen.« Er lächelte gequält. »Du bist wahrlich die schönste Frau der Welt«, sagte er. – »Du hast bestimmt Fieber. Vielleicht ist es eine verschleppte Grippe oder sonst ein Virus.« – »Mein Virus bist du.« – »Hannes, nein, hör auf damit. Du musst mich vergessen«, erwiderte sie. Er hatte sie angesteckt, auch sie schluckte jetzt schwer.

Er: »Liebling, wir haben beide Fehler gemacht.« Sie: »Ja, ich habe den Fehler gemacht, dass ich hierhergekommen bin.« Er: »Warum sprichst du so böse? Das verletzt mich. Was habe ich dir angetan, Liebling, dass du so böse zu mir sprichst?« Sie: »Bitte, Hannes, ich flehe dich an, sag nicht mehr Liebling zu mir. Ich bin nicht dein Liebling, ich bin kein Liebling. Ich will endlich wieder mein normales Leben leben.«

»Darf ich dich erinnern, Judith.« Seine Stimme war plötzlich kräftig und mit Wut geladen. »Hier drüben sind wir gesessen.« Er zeigte auf den Tisch im Eck. »Vor dreiundzwanzig Tagen …« Er schaute auf die Uhr. »Vor dreiundzwanzig Tagen und fünfundsiebzig Minuten. Hier drüben sind wir gesessen, und du hast gesagt, du hast es wortwörtlich so gesagt, korrigiere mich, wenn du es anders gesagt hast: *Ich bin momentan einfach nicht fähig für eine enge Bindung.* Und ein paar Minuten später hast du gesagt: *Hannes, es ist besser, wenn wir uns eine Zeitlang nicht sehen.*«

Er machte eine Pause. Seine Lippen rangen dem fahlen Gesicht ein Lächeln ab. »Nun, Judith, ich frage dich, wie lange dauert für dich *momentan*? Und wie lange ist für dich *eine Zeitlang*? Dreiundzwanzig Tage und fünfundsiebzig, nein«, er schaute auf die Uhr, »und sechsundsiebzig Minuten? Ich würde meinen, das ist wohl tausend Mal länger als *momentan*. Es ist nicht *eine Zeitlang*, es ist bereits eine halbe Ewigkeit lang. Judith, sieh mich an, sieh in meine müden Augen. Hier siehst du dreiundzwanzig Tage und sechsundsiebzig Minuten. Wie lange willst du mich noch zappeln lassen?«

Sie: »Hannes, du verkennst die Realität. Du brauchst einen Arzt, du bist krank, du bist verrückt.« Er: »Du machst mich verrückt, wenn du dieses Spiel weiter mit mir treibst. Ich hatte mir vorgenommen, geduldig zu sein, ich habe es auch deiner Mama versprochen und deinem Papa, aber manchmal, manchmal …« Er ballte die Fäuste und biss die Zähne zusammen, seine Backenknochen traten hervor, und auf der Stirn konnte man die Adern zählen.

Judith war knapp davor, aufzuspringen und davonzulaufen. Aber sie dachte an Bianca und ihre »Typen, die es nicht begriffen haben« und dass sie es wieder und wieder probieren würden, wenn man sie nicht eindeutig genug zurückwies. Sie versuchte, »volle cool« zu bleiben, und sagte, beinahe im Flüsterton: »Hannes, es tut mir leid, ich mag dich, ich mag dich wirklich, aber ich liebe dich nicht. ICH LIEBE DICH NICHT! Wir beide werden niemals ein Paar sein. Niemals, Hannes, niemals. Schau mich an, Hannes: niemals! Hör bitte sofort auf, auf mich zu warten. Und gewöhn dir langsam ab, an mich zu denken. Bitte streich mich aus deinem Leben. Ich könnte heulen, weil es so brutal klingt. Und mir tut es selber wahnsinnig weh, wenn ich mich so sprechen höre. Aber ich wiederhole es noch einmal, damit du es endlich akzeptierst: Streich mich aus deinem Leben!«

Er musterte sie und schüttelte den Kopf. Er kniff die Augen zusammen und ließ sich die Anstrengung anmerken, mit der er nachdachte. Dann lächelte er wieder, hob dabei die Schultern und senkte sie. Es schien, als wollte er ihren Worten endlich Glauben schenken, als würde dies sogar ein Akt der Befreiung für ihn sein, aber etwas in ihm wehrte sich dagegen. Judith blieb stumm und verfolgte seinen inneren Kampf mit versteinerter Miene.

»Judith«, sagte er, quasi als Ergebnis seiner Reflexion, »ich werde dich entlassen.« Wie beiläufig begann er seine Hemdsärmel aufzukrempeln. »Nach außen hin streiche ich dich, ich verspreche es dir, und ich werde dich entlassen.« Er legte seine Unterarme mit der dicht behaarten Außenseite nach oben auf den Tisch. »Aber im Inneren«, sagte er bebend, pathetisch, »im Inneren lebst du mit mir weiter.« Er drehte nun demonstrativ seine Arme um. Judith starrte mit Entsetzen darauf. Lange rote Striemen zogen sich die Innenseiten entlang, zu tief und symmetrisch, als dass es Kratzspuren einer Katze sein konnten.

»Woher sind die Verletzungen?«, fragte Judith. Das Zittern in ihrer Stimme ersetzte ihm die Heilsalbe auf den Wunden und ließ ihn gütig, geradezu verklärt lächeln. »Im Inneren sind wir beide untrennbar verbunden«, sagte er, »und jetzt bist du entlassen.«

4.

Der Sinn der folgenden Tage – es ist für sie auf kaum stei-
gerbar beängstigende Weise August geworden – bestand
einzig darin, zu verstreichen. Sie war unentwegt damit
beschäftigt, den Eindringling in ihrem Kopf auszuhungern.
Dabei vergaß sie mitunter selbst aufs Essen. In den Nächten
starrte sie, aus Angst vor Unterarm-Träumen, so lange auf
die Lichter ihrer Rotterdamer Goldregenlampe, bis ihr die
Augenlider herunterkippten.

Gerd kam mit seinen täglichen Versuchen, den Kontakt
zu ihr herzustellen, genauso wenig an sie heran wie all die
anderen Freunde, die langsam begannen, sich Sorgen um
sie zu machen, langsam und viel zu spät. Sie befand sich in
innerer Emigration und wartete mit Zittern und Bangen auf
seine nächsten Attacken, in steter Bereitschaft und mit dem
unbändigen Willen, sie zu Tode zu ignorieren.

An diesen Tagen sprach er ihr je einmal, meistens am
Nachmittag, zum Glück nie in der Nacht, auf die Mobilbox. Innerhalb weniger Sekunden hatte sie die jeweilige
Meldung ungehört gelöscht. Sollte sich an seiner rituellen
Gepflogenheit in dieser geringen Dosis nichts ändern –
täglich eine Mitteilung ihr verborgen bleibenden Inhalts
auf der lächerlich mickrigen SIM-Card eines seelenlosen
Handys –, dann würde sie bald wieder normal zu leben
beginnen, redete sie sich ein. Dann würde sie wie neugeboren zu ihren Freunden und zur Familie zurückkehren
und sagen: »Da bin ich wieder, war nur eine kleine Krise.
Kein Wunder, die Hitze, der Stress, ihr wisst schon.« Und

sie würden erwidern: »Fein, Judith, dass du wieder da bist. Und jetzt gönn dir einmal einen richtig schönen Urlaub. Du hast nichts mehr zu befürchten. Wir sind alle bei dir!«

Noch war es nicht so weit, noch tastete sie sich durch den engen, finsteren Tunnel, aber erste dünne Lichtstrahlen fielen schon ein, und in einem kurzen Anflug von Euphorie buchte sie ihren ersten Gewöhnungsspaziergang unter freiem Himmel, eine einwöchige Reise nach Amsterdam, Ende August. Dort konnte sie bei Freunden wohnen, die nichts von Hannes wussten – und höchstens erfahren würden, dass ihr da ein auf sie fixierter Spinner täglich irgendetwas Belangloses auf die Mobilbox sprach.

Am übernächsten Tag war sie allzu leichtsinnig und öffnete beim Erledigen der Geschäftspost ein absenderloses Briefkuvert. Im Schock, als sie erkannt hatte, dass der Brief von ihm war, beging sie ihren zweiten schweren Fehler: Sie las das Schreiben, Zeile für Zeile, bis zum Schlusswort.

Der Text war im Protokollstil verfasst und klang zunächst irreführend sachlich: »Zwölfter August, sieben Uhr, ihr Radiowecker schaltet sich ein. Auf seiner Uhr ist es erst sechs vor sieben. Ihre Uhr geht vor, seine Zeit ist die richtige. Sie duscht sich, herrlich, wie das kühle Wasser über ihren zarten, weichen Körper rinnt. Sie denkt fest an ihn. Er an sie, immer.

Sieben Uhr dreiundvierzig. Sie verlässt das Haus. Lindgrünes, enganliegendes Sommerkleid. Goldgelbes zerzaustes Haar. Sie sieht aus wie zwanzig. Die schönste Frau der Welt. Aber ihr Gesicht ist viel zu ernst und traurig. (Du bist ein telesubjektiver Schwarzmaler, Teleobjektiv!) Er fehlt ihr. Sie vermisst ihn.

Sieben Uhr siebenundfünfzig. Sie sperrt das Lampenge-schäft auf, ihre smaragdgrüne Umhängetasche fällt ihr von der schmalen Schulter. Sie ist schusselig, hektisch, nervös. Sie ist nicht bei der Sache. Sie denkt an ihn. Er an sie, immer.

Zwölf Uhr vierzehn. Sie verlässt das Geschäft. Sie schaut nach links, sie schaut nach rechts. Sie sucht ihn. Er ist so nahe. Sie könnte ihn greifen. Er liebt sie über alles in der Welt. Sie ihn auch, bestimmt. Bestimmt. Bestimmt. Be-stimmt.

Zwölf Uhr zwanzig. Sie betritt die Sparkasse. Geld abhe-ben? Er würde ihr seines geben. Er braucht kein Geld, nur ihre Liebe.

Zwölf Uhr siebenundzwanzig: Sie verlässt die Sparkasse. Er wirft ihr Kussmünder zu. Sie riecht seine Nähe, sie spürt seinen Atem, sie sucht ihn. Sie ist verwirrt.

Zwölf Uhr fünfunddreißig: Sie verschwindet wieder im Geschäft. Er winkt ihr zu. Sie kann ihn nicht sehen, aber sie weiß, dass er bei ihr ist. Er beschützt sie. Er hält alles Böse von ihr fern.

Siebzehn Uhr zehn: Sie verlässt das Geschäft. Das Aus-harren hat sich gelohnt. Ausharren lohnt immer. Geduld und Treue sind die Essenz des Daseins, der Dünger der Liebe. Interessant, sie wählt diesmal einen anderen Weg. Goldschlagstraße. Tannengasse. Hütteldorfer Straße. Sie dreht sich nach ihm um. Er spürt ihren Luftzug. Sie denkt an ihn. Er an sie, immer.

Siebzehn Uhr dreiundzwanzig: Sie betritt, oh, oh, oh, sie betritt ein Reisebüro. Er ist wie von den Socken. Will sie ihn überraschen? Ein zweites Venedig? Sie liebt ihn, ganz bestimmt. Er sie über alles.

Siebzehn Uhr zweiundvierzig: Sie verlässt das Reisebüro. Sie lächelt. Sie freut sich. Sie denkt an ihn. Sie liebt ihn. Schade. Schade. Schade. Jetzt muss er sie ein paar Minuten aus den Augen lassen. Jetzt muss sie ohne ihn nach Hause gehen. Jetzt betritt er das Reisebüro …

Achtzehn Uhr: Hier enden die Notizen zum Tag. Er wird bei ihr bleiben. Die Liebe bindet sie aneinander. Die Ewigkeit schweißt sie zusammen. Sie ist sein Licht und er ihr Schatten. Sie beide kann es nie mehr einzeln geben. Wenn sie atmet, atmet er.

Er wird Wache halten. Sie inhaliert seine Nähe. Er freut sich. Er freut sich. Er freut sich auf Amsterdam zu zweit.«

5.

Bianca: »Ist Ihnen schlecht, Frau Chefin?« Sie: »Nein, nur der Kreislauf.« Bianca: »Wollen Sie ein Red Bull? Ich trinke immer Red Bull, wenn es mich dreht.« Judith war im Bürostuhl versunken und starrte auf das weiße Knäuel im Papierkorb. Den Brief, den sie soeben gelesen hatte, gab es nicht. Den Mann, der ihn geschrieben hatte, gab es nicht. Streichen. Löschen. Vergessen. Ausradieren. Verbrennen. Die Asche in die Luft streuen.

»Oder ist es wegen Ihrem Exfreund?«, fragte Bianca. Judith richtete sich auf und schaute das Lehrmädchen erstaunt an. Bianca: »Der ist noch immer superlästig, stimmt's?«

Judith: »Ja, das ist er.« Bianca: »Manche brauchen eben volle lang, bis sie's begreifen.« Judith: »Er beobachtet mich. Er folgt mir auf Schritt und Tritt. Er weiß alles, was ich mache.« Bianca: »Echt? Superarg bitte. Wie ein Gespenst.«

Judith: »Bianca?« Bianca: »Ja, Frau Chefin?« Judith: »Macht es Ihnen was aus, wenn Sie mich nach Hause begleiten?« Bianca: »Nein, überhaupt nicht. Und wenn wir ihn sehen, dann sagen wir ihm, dass er scheißen gehen soll. Manche verstehen nur diese Sprache.« Sie zeigte Judith ihren erhobenen Mittelfinger.

»Ich fahre mit Ihnen noch mit dem Lift rauf. Sicher ist sicher. Ich hab einmal einen Film gesehen, da hat der Typ im Lift gewartet und hat die Frau von hinten genommen und volle gewürgt, mit einer roten Krawatte, glaube ich«, sagte Bianca. »Toller Film«, erwiderte Judith.

Eben erst hatte sie sich vom Beschattungsprotokoll wieder halbwegs erholt. Da hing schon wieder so ein grauenvoller Plastikbeutel an der Türschnalle. Sie schreckte zurück und klammerte sich an Biancas Arm.

»Ich glaube, ich bleibe lieber noch eine Weile bei Ihnen, bis Sie sich wieder beruhigt haben, Frau Chefin«, sagte Bianca, »wir können uns Sushi bestellen. Sie: »Ja.« Bianca: »Soll ich nachschauen, was in dem Sack ist?« Sie: »Nein, ich will es nicht wissen.« Bianca: »Vielleicht ist es nur Werbung, und Sie regen sich unnötig auf.« Sie: »Ich will, dass es mir egal ist, was es ist.« Bianca: »Es ist Ihnen aber nicht egal. Sie schauen superfertig aus, ehrlich.«

Bianca blieb einige Stunden. Ihre Anwesenheit tat ihr gut.

Sie testete Lidschatten, Wimperntusche und Nagellacke, veranstaltete eine kleine Modeschau aus Judiths Garderobe und durfte drei T-Shirts und ein kurzes Kleid behalten, dessen Nähte ihrem Oberkörper wohl nur die nächsten drei Mahlzeiten lang standhalten würden.

»Ein Serienkiller ist er, glaube ich, sicher nicht«, tröstete sie ihre Chefin, die ihr beim Sushi-Essen zusah. »Wenn man so mit ihm redet, ist er eigentlich supernett. Der tut keiner Fliege was zuleide. Er ist einfach nur irre verknallt in Sie und zuckt jetzt ein bisschen aus. Er wird sich schon irgendwann aus dem Staub machen.« Judith: »Wirklich?« Bianca: »Haben Sie mit ihm geschlafen?« Sie: »Ja, klar.« Bianca: »Das hätten Sie vielleicht nicht tun sollen. Jetzt denkt er bestimmt immer volle daran.« Sie: »Bianca, ich möchte doch, dass du, dass Sie …« Bianca: »Sie können ruhig du zu mir sagen, Chefin, meine Freunde sagen eigentlich alle du zu mir.« Sie: »Danke Bianca. Kannst du bitte nachsehen, was in dem Sack ist, der an der Tür hängt?«

Bianca packte einen Brief und eine kleine Schachtel aus. »Da ist ein Herz drauf. Soll ich vorlesen?« Judith biss sich auf die Lippen und nickte. Bianca las: »Liebling, warum hörst du deine Mobilbox nicht ab? Wie geht es unseren Rosen? Sind sie schon trocken? Du wirst das Rätsel sicher längst gelöst haben. Es war ein leichtes Rätsel. Hier gebe ich dir, was dazugehört. Es ist besser für mich, wenn es bei dir ist. Ich werde mich jetzt endgültig zurückziehen. Großes Ehrenwort! Ja, du bist entlassen, Liebling! Dein Hannes.«

Bianca schüttelte die Schachtel. »Kleine Steinchen oder so etwas«, sagte sie. Auf dem Deckel stand: »Frage: Was haben diese und diese und diese Rosen gemeinsam? Antwort: Keine …« Bianca öffnete die Schachtel. »Dornen«, rief sie. »Dornen«, hauchte Judith.

»Schlimm, Frau Chefin?«, fragte Bianca. Judith begann heftig zu schluchzen. »Dornen« – da hatte sie zeitgleich das Bild seiner zerkratzten Unterarme vor Augen. »Ich kann heute Nacht bei Ihnen schlafen, wenn Sie wollen, Frau Chefin«, sagte das Lehrmädchen.

Phase sieben

1.

Drei Wochen waren vergangen. Fünfhundert Stunden. Achtzehn Mal zu Fuß ins Geschäft. Achtzehn Mal zurück nach Hause. Je gut zwei Dutzend Mal Haustor aufsperren, Wohnungstür öffnen, Wohnung betreten, Tür zuriegeln, Terrasse absuchen, unters Bett schauen, den Kleiderschrank nicht vergessen.

Drei Wochen. Tausend doppelte Überwindungen für Judith. Tausend Mal über zwei Schatten springen, über ihren eigenen und über seinen unsichtbaren. Gut zwei Dutzend Mal Jalousien herunterlassen, sich auszieren, die Duschkabine betreten, die Duschkabine verlassen, noch einmal unters Bett schauen, die Decke hochheben, den Kopfpolster abtasten. Hinlegen. Augen schließen. Augen aufreißen. Die Kaffeemaschine! Aufspringen. In die Küche hetzen. Die Kaffeemaschine. War sie auf dem gleichen Platz? Hatte sie nicht weiter links gestanden?

Drei Wochen. Achtundzwanzig Überstunden für Aufpasserin Bianca. Eine stornierte Amsterdam-Reise. Eine abgesagte Tauffeier. (Veronika, Nichte, vier Kilo zwanzig, gesund. Hedi wohlauf, Ali glücklich. Wenigstens Ali.) Ein Besuch in der Polizeiwachstube: »Hat er Sie geschlagen? Nein? Hat er Sie bedroht? Auch nicht. Verfolgt er Sie? Ja? Stalking, sehr gut. Da haben wir strenge Gesetze. Was können Sie für Angaben machen? Was haben Sie gegen ihn in der Hand? Dornen. Aha. Ein Brief, sehr gut. Wo ist er? Weggeworfen. Das ist schlecht. Sehr schlecht. Den nächsten Brief heben Sie bitte auf und bringen ihn mit.«

Drei Wochen. Kein Anruf. Kein SMS. Kein E-Mail. Kein Schreiben. Keine Botschaft. Keine Rose. Keine Dornen. Bianca: »Der hat aufgegeben. Wetten?« Judith: »Aber irgendwo muss er sein.« Bianca: »Na sicher ist er irgendwo. Aber Hauptsache, er ist nicht mehr da, Chefin. Oder?«

2.

Am ersten Freitag im September, an dem sich der Sommer schwül verabschiedete, streckte ihr gegen drei Uhr nachmittags eine blasse, lichtscheue Frau, die ihr irgendwie bekannt vorkam, im Verkaufsraum die Hand entgegen. »Wolff, Gudrun Wolff«, sagte sie, »verzeihen Sie die Störung, aber vielleicht können Sie uns weiterhelfen, wir machen uns Sorgen, Frau Ferstl und ich, und da dachten wir …« – »Kennen wir uns?«, wollte Judith fragen. Doch ihre Befürchtung, die sich gleich darauf bewahrheitete, war so schlimm, dass ihr die Stimme versagte. Die Frau war damals in der Phoenix-Bar gesessen und hatte ihr zugewunken. Sie war eine seiner beiden Kolleginnen.

»Wir machen uns Sorgen um unseren Herrn Bergtaler. Er ist seit Wochen nicht im Büro erschienen. Und gemeldet hat er sich auch nicht. Und heute …« – Judith: »Nein, da kann ich Ihnen unmöglich weiterhelfen, das müssen Sie verstehen.«

Sie versuchte, die Frau zum Ausgang zu dirigieren. Aber schon hatte diese aus einer eckigen, harten, cremefarbenen Handtasche einen zerknüllten Zettel hervorgekramt. »Und heute haben wir diesen Brief von ihm erhalten«, sagte sie. Sie fuchtelte damit in der Luft herum, als wolle sie böse Geister verscheuchen.

»*Es tut mir leid, Abschied von euch nehmen zu müssen*, schreibt er. *Mich gibt es bald nur noch auf Papier …*« Gudrun Wolff machte eine Pause, um Luft zu holen. Ihre Stimme klang jetzt theatralisch und vorwurfsvoll: »*Mich gibt es bald nur noch auf Papier. Und im Herzen meiner Angebeteten, der Liebe meines Lebens*, schreibt er. Sonst nichts. Jetzt machen wir uns natürlich Sorgen um ihn, Frau Ferstl und ich, und da dachten wir, weil Sie ja quasi die Einzige …«

»Tut mir leid, da kann ich Ihnen überhaupt nicht weiterhelfen. Ich habe den Kontakt zu Herrn Bergtaler schon vor vielen Wochen abgebrochen, gänzlich abgebrochen«, sagte Judith und zog mit den Fingerspitzen einen scharfen Strich durch die Luft. »Geht's, Frau Chefin?« Bianca stand jetzt neben ihr, um sie aufzufangen, falls sie umfiel. Judith: »Ich habe absolut nichts mehr mit ihm zu tun, tut mir leid.« Gudrun Wolff: »Aber vielleicht wissen Sie …« Judith: »Nein, ich weiß es nicht, ich will es auch gar nicht wissen.« Bianca: »Meiner Chefin ist, glaube ich, schlecht. Am besten, Sie gehen jetzt.« Gudrun Wolff: »Er wird doch hoffentlich nicht auf dumme Gedanken kommen.«

3.

Nach Dienstschluss flüchtete Judith aus der Stadt. Bianca half ihr beim Packen, brachte sie zum Auto, schaute sich noch in den Seitengassen um und sagte: »Die Luft ist rein, Chefin, Sie können fahren.« Ihrem Bruder hatte sie nur ein knappes SMS geschickt: »Lieber Ali, liebe Hedi, komme am späten Abend zu euch. Darf ich bis SO bleiben? Werde euch nicht zur Last fallen. Judith.«

Zur Abenddämmerung, deren blauviolette Lichtschimmer vor einer stürmischen Nacht warnten, hatte sie das alte Gutshaus im Mühlviertel erreicht. Veronika, das Baby, plärrte ihr schon von weitem entgegen. Ali bemühte sich, die Schwester herzlich zu begrüßen. Er wirkte müde und stoisch, wahrscheinlich nahm er wieder Medikamente. »Das ist vielleicht eine Überraschung!«, sagte er, ohne sich festzulegen, ob es eine gute oder schlechte war.

Einige Stunden saßen sie um den Tisch und sprachen, akribisch darauf bedacht, nur keine beklemmenden Pausen entstehen zu lassen, über das Notwendigste des Naheliegenden, über Veronikas schwierige Geburt, ihre anstrengende Gegenwart und ihre ungewisse Zukunft. Dazu gab es Fotos, Livebilder an Hedis Brust und schrille Klangkulissen aus dem Gitterbett.

Geduldig wartete Judith darauf, gefragt zu werden, warum sie gekommen war, wie es ihr ging, was mit ihr los sei, warum sie so zerstört aussah, wie sie sich fühlte. Aber Ali schaffte es nicht. Judith war für ihn seit jeher der einzige Mensch, dem es nie schlechter gehen konnte als ihm selbst.

Wenn sie einmal aus ihrer Rolle fiel, würde Alis poröse Welt zu bröckeln beginnen.

Seinen Job als Apothekenfotograf hatte er aufgegeben. Judith: »Warum?« Ali: »Das war die reine Beschäftigungstherapie. Ich hab das nicht mehr annehmen können.« Hedi: »Du kennst ihn ja, er hat seinen Stolz. Es wäre was anderes gewesen, wenn die Sache mit dir und Hannes ... du weißt schon.« Judith: »Ja, ich weiß.« Ali: »Versteh das aber bitte nicht als Vorwurf.« Er strich mit seinen Fingern zart über ihren Unterarm.

Judith hatte bereits den Entschluss gefasst, noch in derselben Nacht nach Hause zu fahren. Da stand plötzlich ein Überraschungsgast vor ihr – und sah ihr so lange, so eindringlich, so bekümmert in die Augen, dass diese unweigerlich zu tränen begannen. »Schön, dass du wieder einmal bei uns bist, Judy«, sagte Lukas Winninger, als wäre er inzwischen ein Familienmitglied geworden.

Er hielt mit seinen Gedanken nicht hinter dem Berg: »Hey, aber gut geht's dir nicht. Du bist blass, deine Wangen sind eingefallen. Du siehst erledigt aus. Hast du Sorgen?« Judith: »Kann man sagen.« Ali zuliebe lächelte sie. Lukas: »Was ist es? Probleme mit deinem Freund?« Judith: »Exfreund.« Lukas: »Hat er dich verlassen?« Judith: »Nein, eher das Gegenteil.« Lukas: »Sag schon!« Judith: »Da müsste ich weit ausholen. So viel Zeit wirst du nicht haben.« Lukas: »Man hat immer die Zeit, die man sich nimmt.« – »Ihr werdet mir nicht böse sein, wenn ich euch allein lasse?«, fragte Ali. Um einer Antwort zu entgehen, gab er seiner Schwester einen hastigen Kuss auf die Stirn.

Judith wachte erst zu Mittag auf. Sie hatte traumlos durchgeschlafen. In der Nacht hatte das Jahr den Herbst hervorgezaubert und Gerüche angenommen, die mit Hannes nichts mehr zu tun hatten. Die Sonne spiegelte sich kühl-orange in der geöffneten Fensterscheibe. Ein ähnliches Licht erzeugte die hellrote Deckenleuchte aus Krakau, die in der Auslage ihres Lampengeschäfts hing.

Fünf Stunden hatten sie zusammengesessen, sie und Lukas. »Uns wird etwas einfallen«, waren seine Schlussworte gewesen. »UNS wird etwas einfallen.« Er hatte es ihr versprochen. Und als sie dem Kaffeegeruch nachging, lehnte er bereits wieder am Küchenkasten und lächelte ihr aufmunternd zu.

Sie: »Wohnst du hier?« Er: »Gelegentlich, bei besonderen Anlässen.« Sie: »Lukas, ich will aber nicht, dass du wegen mir ...« Er: »Zwei Löffel Zucker, keine Milch?«

4.

Zurück in Wien, schwor sie sich, Hannes Bergtaler mit Lukas im Rücken und Bianca an der Seite den Kampf anzusagen. Wie wird man seinen Schatten los? – »Indem man ihn hinters Licht führt« (Lukas). Sie musste nur geduldig warten, bis er wieder auftauchte. Um ihre wiedergewonnene Stärke zu demonstrieren, um Hannes zu provozieren, um ihn allenfalls aus seinem Versteck zu locken, legte sie sogar ein paar Mal seinen hässlichen Bernsteinring an. »Ist das ein Glücksbringer?«, fragte Bianca. Sie: »Nein, eher eine Waffe.« Bianca: »Da würde ich mir aber gleich einen richtigen Schlagring zulegen, Chefin.«

Zwei weitere Wochen vergingen ohne Überraschungen von oder Hinweise auf Hannes. An ihrer Unruhe glaubte Judith zu erkennen, dass es bald wieder so weit sein würde. Diesmal wollte sie ihm zuvorkommen. »Rufen wir einfach bei ihm im Büro an«, schlug Bianca vor. Judith: »Das würdest du tun?« Bianca: »Na sicher, mich interessiert ja auch ur, was aus ihm geworden ist. Ich glaube nämlich nicht, dass er sich umgebracht hat wegen Ihnen. Das sagen die Männer nur so, um sich wichtig zu machen.« Judith: »Und wie reagierst du, wenn er sich meldet?« Bianca: »Da sag ich: Verzeihung, ich muss mich verwählt haben. Der erkennt mich nie. Ich kann nämlich volle gut meine Stimme verstellen. Ich kann wie Bart Simpson sprechen.«

Seine Kollegin Beatrix Ferstl war am Apparat. Bianca: »Herrn Bergtaler bitte.« (Das klang mehr nach Mickey Mouse als nach Bart Simpson.) »Aha, wann kommt er denn?« – »Krankenstand?« – »Er lebt noch«, flüsterte Bianca Judith zu. Dann fuhr sie mit Mouse-Simpson-Stimme fort: »Im Spital?« – »Was fehlt ihm denn?« – »Aha.« – »Aha, oh je.« – »Aha.« – »Nein, nur die Tochter von einer Bekannten.« – »Nein, nicht notwendig. Ich rufe an, wenn er wieder draußen ist.« – »Äh, wann wird er wieder draußen sein?« – »Und in welchem Spital?« – »Joseph. Aha!« – »Mit F oder PH?« – »Aha.« – »Aha.« – »Danke, auf Wiederhören.«

»Und?«, fragte Judith. Bianca: »Also, er liegt mit einer unbekannten Krankheit im Josephsspital. Dort muss er noch mindestens zwei Wochen bleiben und darf nicht besucht werden. Aber das wollen wir eh nicht, oder?« Judith: »Nein, wollen wir nicht.« – Bianca: »Warum sind Sie so zerstört, Frau Chefin? Wenn er im Spital ist, haben wir Ruhe vor ihm. Vielleicht verliebt er sich in eine Krankenschwester, und Sie sind ihn für immer los.« Judith: »Eine unbekannte Krankheit – das klingt nicht gut.« Bianca: »Wahrscheinlich hat er die Vogelgrippe. Oder den Rinderwahnsinn. Oder meinen Sie, Aids, Chefin? Glaube ich nicht. Der ist kein Drogenjunkie-Typ. Und schwul ist er auch nicht, oder? Höchstens bi. Aber zur Sicherheit sollten Sie einen Aids-Test machen. Hab ich auch schon gemacht. Da nimmt man Ihnen ein bisschen Blut ab. Tut überhaupt nicht weh. Sie dürfen nur nicht hinschauen. Also wenn ich hinschaue …« – »Danke, Bianca, du kannst schon gehen. Du hast mir wirklich sehr geholfen«, sagte Judith, »ich bin froh, dass es dich gibt.«

5.

Auf dem Nachhauseweg nach Geschäftsschluss holte Judith im Dämmerlicht eines windigen Herbstabends die Angst vor der Ungewissheit ein. Im Stiegenhaus, als sie auf den Aufzug wartete, bildete sie sich ein, Stöhngeräusche von oben zu vernehmen. In Panik verließ sie das Wohngebäude, mischte sich unter Passanten, rief Lukas an, erzählte ihm, behindert durch Heulausbrüche, von Hannes' angeblicher Krankheit und von seinem Spitalsaufenthalt, der ihrem Bauchgefühl und dem Stöhnen im Stiegenhaus widersprach.

In zwei Stunden konnte er in Wien sein. »Nein, Lukas, das ist nicht notwendig«, sagte sie. Doch, es war notwendig. Und er ließ sich ohnehin nicht davon abhalten. Sie musste nur die beiden Stunden überstehen. Ein neuer Anlauf, unerschrocken und auf alles gefasst zu sein, brachte sie bis knapp vors Haustor. Dort drehte sie um und lief davon, Richtung U-Bahn-Station, wo die Lichter heller waren. Auch auf offener Straße fühlte sie sich unwohl. Die Sirene eines Krankenwagens schreckte sie zu Tode. Vermutlich brachten sie Hannes gerade zu ihr nach Hause oder, noch schlimmer, von dort wieder weg.

Sie stieg in ein Taxi, rief ihre Mutter an, behauptete, sie sei zufällig in der Nähe und wolle sie kurz besuchen, ob es ihr denn recht sei. »Du lebst noch?«, fragte Mama. Und, gerade noch rechtzeitig: »Natürlich, Kind, du weißt, du kannst immer kommen.« Mama sah schlecht aus, wie soeben im guten Einvernehmen von Vater stehengelassen, und es bedurfte nicht einmal einer Andeutung, um ihr, der Tochter, das Gefühl zu geben, dass sie daran schuld war. Zur Strafe musste ihr Judith von Beipackzetteln Dosierungen und Nebenwirkungen verschriebener Arzneimittel gegen Blindheit, Herzinfarkt, Todesgram und Ähnliches vorlesen. Immerhin: Hannes wurde mit keinem Wort erwähnt. Judith schaute in Minutenabständen auf die Uhr. »Willst du schon wieder gehen?«, fragte Mama. »Ja, ich treffe Lukas«, erwiderte Judith. »Lukas?« Endlich ein offener Vorwurf mit Eigenname. »Warum Lukas?« – »Warum? Weil er ein Freund ist und weil man Freunde bekanntlich hin und wieder trifft«, antwortete Judith giftig. – »Lukas hat Familie!« – »Nein, Mama, das diskutiere ich jetzt nicht mit dir«, erwiderte Judith, sprang auf und schlug die Tür hinter sich zu. Ein paar Minuten stand sie draußen, im Bewusstsein ihres erbärmlichen Zustands, dann klingelte sie noch einmal an der Tür. Mama öffnete zögerlich, ihre Augen waren verschwollen. Judith fiel ihr in die Arme und entschuldigte sich. »Ich hab keine gute Phase«, sagte sie. »Ja, ich weiß«, erwiderte Mama. Es entstand eine kurze bedrückende Pause. Judith: »Wieso weißt du das?« – »Man sieht's dir an, Kind«, erwiderte Mama.

6.

Sie trafen sich im »Iris«. Lukas saß schon dort und beendete gerade ein Telefongespräch. Vor ihm wurde ein Glas Aperol von einer Tischkerze beleuchtet und verlieh seinem kantigen Gesicht einen rötlich-orangen Schimmer. Bei der Begrüßung legte er seine Handinnenflächen an ihre Wangen, das war Schutz und Zärtlichkeit zugleich. Wieso hatte sie nicht so einen Mann als Mann?

»Judy, du musst dir keine Sorgen machen, er liegt wirklich im Josephsspital«, sagte er. Ein Herr Hannes Bergtaler sei am vergangenen Montag aufgenommen worden, hieß es. Auf welcher Station er sich befand, über den Grund des stationären Aufenthalts, die Diagnose und den Gesundheitszustand durfte man keine Auskünfte erteilen. Das hatte der Patient selbst so veranlasst.

»Lukas, habe ich einen Verfolgungswahn?«, fragte Judith. »Hast du nicht.« Sie: »Warum glaube ich, dass er wegen mir da drinnen liegt und wegen mir dafür sorgt, dass man nicht erfahren darf, wieso?« Lukas: »Weil es vielleicht stimmt.« Sie: »Ja, eben, vielleicht.« Lukas: »Vielleicht genügt.« Sie: »Aber vielleicht ist er wirklich schwerkrank und braucht

Beistand.« Lukas: »Vielleicht will er, dass du genau das denkst, und zwar möglichst ununterbrochen.« Sie: »Vielleicht.« Lukas: »Er zwingt dich jedenfalls dazu, dich mit ihm zu beschäftigen.« – »Und ich zwinge dich dazu, dich mit mir zu beschäftigen.« Er: »Nein, Judy, du zwingst mich nicht dazu, ich mache es freiwillig, und ich mache es gerne. Das ist der Unterschied.«

Der Unterschied währte bis zur Sperrstunde im »Iris«. Judith hatte mehr getrunken, als sie vertrug. Lukas tat so, als wäre er über Aperol und Wein hinweg nüchtern geblieben. Ein paar Mal entglitt ihm sein Arm und legte sich um ihre Schulter, zog sich aber sofort wieder zurück. Jedenfalls lenkte er sie auf unaufdringlich anziehende oder zumindest anziehend unaufdringliche Weise von Hannes ab. Gelegentlich seufzten oder schmunzelten sie ob ihrer abhandengekommenen intimen Vergangenheit. Was eigentlich Antonia dazu sagte, wenn er zum beschützerinstinktiven Seelentrost die Land- und Familienflucht antrat und sich mit seiner paranoiden Exfreundin in schummrigen Wiener Bars die Nacht ums Ohr schlug? – Das sei okay für sie, beteuerte er: »Sie weiß, wie nahe wir uns stehen, Judy. Und sie weiß, dass ich dein Vertrauen nie missbrauchen würde.« – »Und ihres?«, fragte Judith. – »Ihres sowieso nicht«, erwiderte Lukas. Dieser Satz von diesen Lippen klang erotischer als jedes Liebesgeflüster.

Gemeinsam wankten sie zu ihrem Wohnhaus. Berührungen gab es nur bei Zusammenstößen und beim abschließenden Versuch, sich per Wangenkuss zu verabschieden. »Willst du mitkommen? Du kannst auf der Wohnzimmercouch schlafen«, lallte Judith. Nein danke, Lukas stand die nahe gelegene Wohnung eines verreisten Kollegen zur Verfügung, und er benötigte ohnehin noch ein paar Häuserblocks frische Luft. Er wollte nur warten, bis oben bei Judith Licht brannte, sodass er sich sicher sein konnte, dass sie in ihre Wohnung gefunden hatte.

Judith ließ den Aufzug links liegen und torkelte das spiralenförmige Stiegenhaus hinauf. Bei jedem Stock hielt sie inne, um zu prüfen, ob ihr keine Stöhn- oder sonstigen Geräusche entgegenkamen. Als sie das Dachgeschoss erreicht hatte, nahm irgendein Sinnesorgan wahr, dass etwas anders war als sonst. Sie holte präventiv Luft, um den Schrei früh genug loszulassen, um seiner Ursache zu trotzen. Aber als sie den Zettel an ihrer Tür sah, verstummte sie: schwarz umrandet und ein Kreuz in der Mitte – das war eine Todesnachricht. In Panik wandte sie sich ab, den Namen musste sie nicht lesen, der hatte sich längst in ihr Gehirn gebrannt. Sie hastete und stolperte hinunter, die Stufen prasselten ihr entgegen. »Lukas!«, schrie sie. – »Was ist geschehen?« Endlich war das Haustor offen. – »Ich glaube, Hannes ist tot!« Sie sackte in seine Arme.

Er musste ihr eine halbe Stunde geben, sich zu beruhigen, und noch einmal so viel Zeit, damit sie bereit war, sich erneut vor die Wohnungstür zu wagen, diesmal in Tuchfühlung zu ihm.

»Helmut Schneider«, las Lukas vom Partezettel, als kürte er den einzig Würdigen zum Sieger. Judith hatte sich hinter seinem Rücken verschanzt. »Judy, der Tote ist ganz ein anderer. Helmut Schneider. Kennst du einen Helmut Schneider? Kennst du das Gesicht?« – »Mein Wohnungsnachbar«, murmelte Judith. »Ein Rentner … Aber wie kommt das an meine Tür? Ich habe den Mann praktisch nie gesehen. Wieso hängt diese Nachricht in meiner Situation an meiner Tür? Das ist doch kein Zufall.« – »Wahrscheinlich hängt der Zettel an jeder Tür«, erwiderte Lukas, »wollen wir nachsehen?« – »Nein, ich will nicht nachsehen. Ich will, dass der Zettel an jeder Tür hängt. Und ich will keine Angst mehr haben. Ich habe es satt, Angst zu haben. Ich will schlafen und schön träumen. Und ich will aufwachen und an etwas Schönes denken. Lukas, kannst du bei mir bleiben? Nur bis es hell wird. Bitte, bleib da! Nur dieses eine Mal. Du kannst auf der Wohnzimmercouch schlafen. Oder du schläfst in meinem Bett und ich auf der Couch. Oder umgekehrt. Wie du willst.«

Am nächsten Morgen schmerzten zwei Köpfe. Der Kaffee half Judith rasch auf die Sprünge. »Lukas, ich glaube, ich muss ihn noch einmal treffen.« – »Ehrlich? Ist das klug?« – »Ich muss es tun. Ich sehe sonst Gespenster. – »Was willst du ihm sagen?« – »Keine Ahnung. Egal. Irgendwas. Hauptsache, ich sehe ihn. Dann jagt er mir nicht solche Angst ein.« – »Soll ich mitkommen?« – »Das würdest du tun?« – »Wenn es besser für dich ist.« – »Vielleicht kannst du später nachkommen und mich abholen.« – »Wie du willst.« – »Ja, ich glaube, so will ich es.« – »Und wie nimmst du Kontakt zu ihm auf?« – »Ich rufe ihn an, gleich heute oder morgen.« – »Judy, er liegt im Spital.« – »Ah ja, das hab ich vergessen. Scheiße.«

Phase acht

1.

24. September, sieben Uhr. Ihr Radiowecker schaltet sich ein. Zunächst das Wetter. Sie erschrickt. Tiefdruck. Sie zieht den Polster über den Kopf. Schwarz über grau. Schnell an etwas Schönes denken, Judith!

Sieben Uhr sechzehn. Sie ist wach genug, um nicht aufwachen zu wollen. Kein Antrieb. Kein Grund, die Augen zu öffnen. Was fehlt ihr? Fehlt wer? Fehlt der Mann an ihrer Seite, der Beschützer, der immer für sie da ist? Der sie in die Arme nimmt? Der sie streichelt. Der sie an sich drückt. Der sie mit seinem Körper zudeckt. Der sie sich spüren lässt, ganz tief. Der sie heftig atmen lässt. Atmen und zittern vor Freude und Erregung. Fehlt ihr die Erregung? Ist ihr die Lust vergangen? Nichts als finstere Gedanken, schwarz über grau?

Sie flüchtet unter die Dusche. Heißes Wasser. Das Badezimmer dunstig. Die Tür ist verschlossen. Niemand kann herein. Sie bleibt einsam mit sich. Im Spiegel – 37 Jahre. Schöne Frau mit schönem Gesicht. Schönes Gesicht mit unschönen Angstfalten. Schminke darüber. Bürotauglich sein. Dem Alltag gewachsen. Her mit dem hässlichen braunen Wollpullover, darunter entdeckt dich keiner. Hinein in die ehemals enge Jeans. Hängt wie ein loser Sack an deinen Hüften.

Sieben Uhr sechsundvierzig. Dicke grüne Herbstjacke. Die Frau mit dem goldgelben Haar verlässt das Haus. Links schauen. Rechts schauen. Durchatmen. Gut gemacht, Judith! Losgeworden. Abgeschüttelt. Kannst du weitergehen. Musst du dich nicht fürchten. Bist du ganz alleine. Auf dich gestellt. Kühler Tag, kaltes Leben.

Sieben Uhr neunundfünfzig. Kniefall vor dem Geschäft. Sie wühlt in ihrer schwarzen Umhängetasche. Wo ist der Schlüssel? Sie wird ihn doch nicht? Er wird ihn doch nicht? Gefunden. Sie sperrt das Lampengeschäft auf. Überraschung? Keine! Durchatmen. Schnell alle Lichter an. Kaffeemaschine. Kaufhausmusik. Sie wärmt ihre klammen Finger unter dem ovalen Kristallluster aus Barcelona, ihrem schönsten Stück. Hier hat alles begonnen. Erinnert sie sich? Was hat sie daraus gemacht? Was ist aus ihr geworden? Aus ihr und ihm. Aus ihm. Wo ist er hin, ihr Verfolger? Sie spürt ihn, er kann nicht weit sein. Er sitzt in ihr. Wo verfolgt er? Wo folgt sie ihm hin? Wer war der Erste?

2.

In der Mittagspause musste ihr Bianca, die sich am Wochenende verliebt und (erstmals ungeschminkte) rote Wangen davongetragen hatte, eine Hand halten. Mit der anderen wählte Judith die Nummer seines Büros. Beatrix Ferstl war am Apparat. Sie sprach im herablassenden Tonfall, wie eine auf dem Schoß eines »leider außer Haus« befindlichen Chefs sitzende Chefsekretärin. Ob sie Herrn Kollegen Bergtaler etwas ausrichten dürfe? – »Ist er denn nicht mehr im

Spital?«, fragte Judith. Spital? – Da bitte sie um Verständnis, dass sie solche vertraulichen Informationen privater Natur ... »Kann er mich bitte heute noch zurückrufen?« – Das werde schwer möglich sein. Sie notiere aber gerne ihre Telefonnummer. – »Die hat er.« – Schön, doch sie möge trotzdem so freundlich sein ... Und wie war der Name? – »Judith. Judith war der Name. Wir haben uns einmal in dem Lokal gesehen, im Frühjahr, in der Phoenix-Bar. Und Ihre Kollegin, Frau Wolff, glaube ich, war vor ein paar Wochen bei mir im Geschäft!« – »Judith und wie weiter?« – »Wir kennen uns!« – »Judith und?« – »Judith reicht.« – »Gut, Frau, äh, Judith. Ich kann aber nicht versprechen ...« – »Sie müssen mir nichts versprechen. Es reicht, wenn Sie ihm sagen, dass er mich anrufen soll.« – »In welcher Angelegenheit?« – »In einer dringlichen!« – »Entschuldigung, in welcher?« – »In meiner.«

3.

Am Abend des vierten Tages, an dem Hannes nicht zurückgerufen hatte, war Judith bei Gerd eingeladen. Auch die anderen Freunde aus ihrem früheren Leben waren gekommen. Es gab nicht nur keinen Anlass für dieses Treffen, es gab, wie sich herausstellte, auch keinen Grund. Schon bei der Begrüßung merkte Judith, dass mit ihnen allen etwas nicht stimmte, noch dazu das Gleiche. Ihre Händedrücke waren weich, ihre Küsse spitz wie Nadelstiche. Sie lächelten sie zartbitter an und reduzierten den Ton ihrer Worte auf halbe Lautstärke, wenn sie mit ihr sprachen.

»Schön, dass du gekommen bist, Judith«, eröffnete Gerd pathetisch, als wäre sie lebendig der Gruft entstiegen. Nach einigen Floskeln im Dienste der Verlegenheit, bis endlich jeder sein Prosecco-Glas zwischen den Fingern hatte, verlor sich das Gespräch in ersten Zahnlücken von Mimi und Billi, den Kleinen, die Ilse und Roland zusammenhielten. Danach gab es Gerds Junggesellen-Kürbisgnocchi, wie sie die Mikrowelle der Tiefkühltruhe regelmäßig abtrotzte. Lara, die mittlerweile aufgehört hatte, mit Valentin Händchen zu halten, und ihm stattdessen nach jeder seiner sexistischen Bemerkungen mit der Faust auf die Schulter donnerte, lobte Judiths schönes violettes Kleid, das vortrefflich zu ihren Schuhen passte, auf welchen Markennamen es hörte, welcher Filiale es entstammte, zu welchem Preis es zu erstehen war, in welchen Größen es angeboten wurde, aus welchem Farbsortiment gewählt werden konnte, ob es tatsächlich in Taiwan genäht worden war und ob sich das denn auszahle, in Taiwan Kleider zu nähen und in den reichen Westen zu schicken, zu welchem Lohn und unter welchen Bedingungen taiwanesische Kleidernäher … Endlich war man beim Elend in der Welt angelangt. Konsequenterweise hätte man Judith das Kleid vom Leib reißen müssen.

Als der Abend endlich seinem Höhepunkt zuzusteuern schien, dem Ende, erlaubte sich Ilse im Überschwang leichter Berauschung eine Bemerkung, die sie gleich darauf bereute: »Und du hast einen neuen Lover, wie ich höre?« – Judith: »Ich? Wer sagt das?« Ilse: »Ach so, war vielleicht nur blödes Gerede, du weißt, die Leute plaudern gerne, wenn der Tag lang ist. Ist also offenbar nichts dran.« Judith: »Welche Leute?« Da Ilse gegen plötzliche Schluckbeschwerden ankämpfte, sprang Roland ein: »Du bist in der Iris-Bar mit einem gutaussehenden Typen gesehen worden, nichts weiter. Aus Ilse spricht der blanke Neid, die muss sich mit mir zufriedengeben.« Einige bemühten sich zu lächeln. Judith: »Gesehen von wem?« Roland: »Judith, reg dich bitte nicht auf. Ganz harmlos: Eine Kollegin von Paul war dort. Ich weiß nicht, kennst du Paul? Der ist mit dem Bruder von Ilse …« Judith: »Lukas ist ein langjähriger guter Freund!« – Ilse: »Entschuldige, Judith, ich wollte wirklich nicht … Es wäre auch nichts dabei …« – Judith: »Ein Freund, der auch wirklich da ist, wenn man einen braucht!« So, jetzt waren sie still. Und weil sie gerade so hübsch betreten beisammensaßen und ihre Tränen wie ein Marien-Wunder betrachteten, sprach Judith weiter, ohne die Lautstärke zu verringern: »Übrigens, was gibt es Neues von Hannes? Ihr braucht nicht so zu tun, als wäre er plötzlich aus der Welt. Also, wie geht es ihm? Was macht er so? Wo treibt er sich herum?« – »Judith, bitte nicht, das ist jetzt kein gutes Thema«, erwiderte Gerd mit leiser, um Entspannung bemühter Stimme. – »Was soll das heißen, jetzt kein gutes Thema? Ich kenne seit Monaten Tag und Nacht kein besseres!« – »Wir haben ihn alle schon länger nicht gesehen«, sagte Valentin in beleidigtem Tonfall, »bist du jetzt beruhigt?« – Nein, wütend. »Ihr könnt ihn treffen, sooft ihr wollt. Ihr könnt Tenniscamps bestreiten, könnt Wohn-, Lebens- oder sonstige Gemeinschaften mit ihm eingehen. Aber redet bitte nicht um den heißen Brei herum. Also was ist mit ihm? Warum ist oder war er im Spital? Was hat er für eine ominöse Krankheit?« – »Spital?«, murmelte Valentin überrascht. Und noch leiser: »Krankheit?« – »Liebe Judith«, sagte Gerd. Sie schüttelte seine Hand von der Schulter. »Hannes will nichts anderes als dich vergessen. Glaub mir, er arbeitet hart daran. Und er will, dass du ihn vergisst. Er weiß, das ist das Beste für euch beide.« – »Er hat sogar mit dem Gedanken gespielt auszuwandern«, fügte Lara hinzu. »Hervorragende Idee«, erwiderte Judith. »Warum tut er es nicht?« Lara: »Warum bist du so gemein, Judith? Was hat er dir getan, außer dass er dich liebt?« – Judith: »Das hat er getan!« Ihr Zeigefinger wanderte von einer Person zur nächsten. »Und das!« Jetzt deutete sie auf sich. »Und ich sage euch, er tut es noch immer.« Die meisten glotzten betreten ihren leeren Nachspeisenteller an. Wenig später fiel die Tür zu.

4.

In der Nacht des sechsten Tages, an dem er nicht zurückgerufen hatte, hörte sie erstmals seine Stimme. Sie lag mit dem Rücken auf der Wohnzimmercouch, unter dem Licht ihres Rotterdammer Goldregens, und wartete, bis ihr die Augen zufielen. Diese Methode hatte sich in den Nächten davor als die zweckmäßigste erwiesen, wenigstens zu ein paar Stunden Schlaf zu gelangen, ehe sie die Morgendämmerung von ihren Schattenängsten erlöste.

Zuerst waren es Geräusche, als würde jemand in einer Höhle Blechplatten zum Schwingen bringen. Dann setzte Flüstern ein. Schließlich wichen die zischenden Laute einem Gemurmel, das kontinuierlich anschwoll. Und plötzlich war die Stimme da, seine Stimme, unverkennbar. »Dieses Gedränge«, sagte er, wie damals, bei der ersten Begegnung im Supermarkt. Die Worte hallten in Echowellen wider: »Dieses Gedränge, diesieses Gedrängänge, diesiesiesieses Gedrängängängänge …« Noch im gleichen Moment war sie fähig, ihre Reaktion zu testen. Die war, zu ihrem Erstaunen, keineswegs panisch, im Gegenteil. Die Stimme kam ihr vertraut vor, sie hatte sie wohl schon länger in sich getragen, schmerzvoll unterdrückt freilich, als quälendes Geheimnis, das sich nun endlich aus ihr herauszulösen begann und seinen eigenen Ton annahm, Hannes' eigenen. Judith rührte sich nicht und versuchte so leise wie möglich zu atmen, um kein Wort zu versäumen. »So was kann höllisch wehtun«, sprach die Stimme. Damit musste der Tritt auf ihre Ferse gemeint sein. Und: »Ich hoffe, ich störe Sie nicht.« Da stand er erstmals im Lichtkegel ihres Kristalllusters aus Barcelona. »Ich hoffe, ich störe Sie nicht, störtöre Sie nichnicht, störtörtörtöre Sie nichnichnichnicht …« Nein, er störte sie nicht, er beruhigte sie, dröhnte sie zu, machte sie mürb und müde. Zuletzt vernahm sie: »Schlaf gut, Liebling. Liebliebling. Lieblieblieblieb…« Dann wurde es still und finster.

In der Früh schmerzte ihr Kopf wie nach einer durchzechten Nacht, und sie genierte sich für ihr Erlebnis, das ihr wie eine erste grobe Fehlleistung ihres Gehirns erschien: Es war kein Traum im eigentlichen Sinn gewesen, denn im wachen Zustand wusste man immer, ob man geträumt hatte oder nicht. Judith wusste es nicht. Das war ihr noch nie passiert.

Im Geschäft vertraute sie sich ihrem Lehrmädchen an. Bianca nahm die Geschichte eher gelassen auf. »Stimmen höre ich auch immer wieder, meistens die von meiner Mutter, die ist noch dazu volle schrill.« – »Bianca, ganz ehrlich, stimmt etwas nicht mit mir?«, fragte Judith. »Wirklich ganz ehrlich?«, fragte Bianca. Judith: »Ja, bitte.« Bianca: »Okay, Chefin – Sie schauen scheiße aus.« Judith: »Danke, sehr aufbauend! Wie meinst du scheiße?« Bianca: »Wie soll ich sagen, Sie sind wie ein Schatten von sich selbst. Sie werden immer dünner und blasser. Sie zittern. Sie ziehen sich nicht mehr cool an. Und schauen Sie einmal Ihre Frisur an, die ist bitte ur nicht in! Außerdem kauen Sie Fingernägel, sind nervös und gereizt, wenn Kunden im Geschäft sind. Lauter solche Sachen. Vielleicht brauchen Sie einfach Urlaub. Oder einen ordentlichen Liebhaber, der Sie so richtig hernimmt und auf andere Gedanken bringt. Ich erlebe das gerade. Da vergisst man alle Sorgen.« Sie brachte eine volle Kreisdrehung ihrer schönen dunklen Pupillen an. »Oder wenigstens ein neues Paar Stiefel. Wenn's einem nicht gutgeht, muss man sich immer was Geiles kaufen.«

»Weißt du, was mich wahnsinnig macht?«, fragte Judith. »Hannes, oder?«, erwiderte Bianca. Judith: »Dass er sich nicht meldet.« Bianca: »Wahrscheinlich hat er eine andere. So was ärgert einen, auch wenn man gar nichts mehr von dem will.« Judith: »Bianca, der hat keine andere, das spüre ich.« Bianca: »Dann seien Sie froh, dass er Sie in Ruhe lässt!« – »Er lässt mich aber nicht in Ruhe. Er okkupiert und blockiert mich. Er ist nicht nur bei mir, er ist bereits in mir.« – »Hm«, erwiderte Bianca und tippte mit ihrem Zeigefinger an die Schläfe. Man erlebte das nicht oft, dass Bianca angestrengt nachdachte. »Wissen Sie was, Frau Chefin?«, sagte sie schließlich: »Gehen wir gemeinsam Stiefel kaufen!«

Phase neun

1.

Der Oktober begann windstill, erzeugte mehliges gelbes Licht, warf beklemmend lange Schatten, verdunkelte die Tage früh und dehnte die Nächte aus. Lukas rief regelmäßig an, um auszuloten, wie es ihr ging. Wäre sie ehrlich gewesen, so hätte er sich wohl sofort angeschickt, nach Wien zu kommen, um ihr beizustehen, wobei auch immer. Am liebsten wären ihr mehrstündige Umarmungen und jedes Mal ein Aufwachen mit seinen Fingern in ihren Haaren gewesen, damit ihr Kopf nach den Albtraum-Serien weiter dichthielt. Aber Lukas hatte ja »Familie«, wie Mama ihr jüngst so feinfühlig unter die Hirnrinde gemeißelt hatte. Und Hannes, dem Gespenst, hatte er ohnehin nichts entgegenzusetzen. Also versicherte sie ihm meistens und recht überzeugend, dass es ihr gutgehe, dass sie spüre, wie ihre Lebensgeister langsam wieder erwachten, dass sie sich im Internet auf Partnersuche begeben habe und dass ihr das Flirten im und auch ohne Netz mächtig Spaß mache.

»Schön, Judy, das beruhigt mich!«, erwiderte Lukas. Es kränkte sie ein wenig, dass er offenbar nicht viel mehr als nur beruhigt sein wollte – und wie leicht er sich beruhigen ließ. Aber sie wusste wenigstens, dass sie auf ihn zählen konnte, wenn es ihr einmal nicht mehr gelingen würde, ihn zu beruhigen. Das beruhigte sie.

Natürlich suchte sie keinen Partner, schon gar nicht bei einer dieser Börsen im Internet, wo die Reizarmen aus den hinteren Reihen des Alltags als geistreiche Charmeure vorstellig wurden. Aber am ersten Freitagabend des Monats, an dem vorübergehend alle Schatten verschwunden waren, lernte sie unabsichtlich tatsächlich jemanden kennen. Nach Geschäftsschluss war sie mit Nina, der bei Männern glücklosen Tochter von *Musikhaus König* in der Tannengasse, noch auf einen Sprung ins Café Wunderlich gegangen. Der »Sprung« erwies sich als weiter Satz. Stundenlang bestellte eine von beiden noch ein letztes Glas Wein, Wasser oder Aperol. Für das abschließende allerletzte Getränk wechselte man in die Eugen-Bar, eigentlich ein vom Kerzenlicht durchfluteter Gymnasiastentreff für erste Zungenküsse. Aber an Ninas abgelenkten, ständig seitlich an ihr vorbeiströmenden, mitunter verzehrenden Blicken erkannte sie, dass hinter ihr so jemand wie ein echter Mann sitzen musste. Irgendwann drehte sie sich um. Und es war einer dieser Momente, wo zwei Augenpaare einen Pakt für die gemeinsame Zukunft beschlossen, egal ob die Zukunft nach einer Nacht bereits wieder Vergangenheit war.

Er hieß Chris, sah römisch aus, wie eine zum Leben erweckte Bronzefigur von Donatello, war bereits volljährig (siebenundzwanzig), interessierte sich für Freunde, Fußball, Fischen und Frauen, in ebendieser erfrischenden Reihenfolge, und – Ferndiagnose – für Letztere ausschließlich im Plural und immer nur flüchtig. Somit war er das Gegenteil von Hannes. Deshalb merkte sie sich seine E-Mail-Adresse und ließ es ein paar Tage später zu einem Treffen im selben

Lokal kommen, ganz ohne Fischerfreunde und ohne die verklärte Nina natürlich.

Er küsste Judith gleich zur Begrüßung und sparte beiden somit das mühsame Hinarbeiten auf etwas, das ohnehin bereits beschlossene Sache war. Für die nächsten Stunden in der Bar stellte sie ihm ihre Hand zum Halten zur Verfügung und genoss seine liebevollen Erzählungen aus einem Leben, in dem noch nichts geschehen war, in dem ein riesiger Barsch, der die Angel verspeist hatte, zu den bösartigsten Erscheinungen zählte, die ihm bisher untergekommen waren.

Als er dann mehr von Judith und einer allfälligen schwierigen Beziehung – die man ihr offenbar ansah – wissen wollte, war das der ideale Zeitpunkt, um die Zu-mir-oder-zu-dir-Problematik aufzuwerfen, aber nur theoretisch, denn praktisch war klar, dass er Judith mit nach Hause begleiten musste.

»Ich fühle mich wahnsinnig wohl mit dir, du tust mir echt gut, du Süßer«, flüsterte sie ihm beim Warten auf den Fahrstuhl ins Ohr. Ja, sie war nach langer Zeit wieder furchtlos glücklich, hatte ihren Schatten endlich einmal ausgetrickst. Fast wünschte sie sich, dass er sie so sehen konnte, so selbst, so sicher, so souverän.

Auch daheim verlief alles erstaunlich professionell und unverkrampft, als wären Chris und sie ein längst eingespieltes Paar. Judith kümmerte sich um Rotwein, schummriges Licht und eine angemessene Couchdecke. Chris fand sofort eine passende CD – *Tindersticks* – und den Lautstärkeregler, hielt sich für einen Mann erfreulich lang im Badezimmer auf, hatte dann bereits das Hemd geöffnet und bot dabei einen äußerst appetitlichen Anblick. Arme Nina! Zum Glück gehörte er der sympathischen Gruppe der Selbst-Entkleider an, im Gegensatz zu jener der Fremd-Auszieher, die minutenlang an Knöpfen und Reißverschlüssen des anderen herumfingerten und so lange erfolglos an hüftengen Röcken oder Hosen zerrten, bis die Erregung weg war.

Gesprochen wurde dann nichts mehr, nur noch geatmet. Er übertrieb es auch nicht beim Studieren ihres Körpers, sondern nahm sie gleich mit unter die Decke und begann sie überall zu berühren und abzuküssen, ehe sie ihre Augen schloss und sich dem besten Gefühl hingab, das ihr seit vielen Monaten vergönnt war. Chris möge es in der Retrospektive im Kreise seiner Fischerfreunde »wirklich guten Sex« nennen. Für Judith war es absolute Geborgenheit – und ein Wärmestrom bis in die hintersten, gerade noch schockgefrorenen Gehirnzellen.

2.

Die Türglocke machte die soeben belohnte Aufbauarbeit der vergangenen Tage in ein paar Sekunden zunichte und stellte den alten Zustand sofort wieder her. Es waren drei kurze Alarmstöße, dreimal mitten ins Herz. Chris richtete sich auf und schmunzelte verschämt, wie ein vom großen Bruder beim Joint-Rauchen erwischter Jugendlicher. »Hast du puritanische Nachbarn, die gewisse Geräusche nicht vertragen?«, fragte er. Sie drehte sich weg, um ihm den Anblick ihres erstarrten Gesichts zu ersparen. »Ich weiß nicht, ich kenne sie kaum«, sagte sie. »Geräusche? Waren wir so laut?

Wir waren doch nicht laut.« Sie flüsterte, um das Zittern ihrer Stimme abzuschwächen. »Du, Chris, kannst du zur Tür gehen und nachsehen?«, bettelte sie. »Du musst nicht öffnen. Nur fragen, wer da ist.« Chris wirkte irritiert: »Ist es nicht besser, wenn du ... du wohnst ja hier. Oder wir ignorieren es einfach?« Judith: »Bitte, Chris, nur fragen, wer es ist.« Er: »Und wenn es ein Freund von dir ist?« Sie: »Um diese Zeit hab ich keine Freunde, ich meine, keine, die an der Tür stehen und Sturm läuten.«

Sie vernahm das Knirschen des Bodens unter seinen Fußsohlen, zog die Decke über den Kopf und wartete, bis er wieder da war. »Niemand«, sagte Chris gelangweilt: »Also sicher ein frustrierter Nachbar.« Er kroch wieder zu ihr unter die Decke und presste sich an sie. Jetzt fühlte er sich wie die römische Statue aus Bronze an. Ihr war außen und innen kalt. Sie stoppte seine Hand auf Höhe des Oberschenkels und fragte, ob er ausnahmsweise über Nacht bleiben konnte. Das war in diesem bitteren Tonfall alles andere als ein erotisches Angebot, und das merkte er natürlich.

Er: »Judith, das ist schwierig. Ich muss früh aufstehen.« – Sie: »Das kannst du, ich stelle dir den Wecker auf sechs. Ist sechs zu spät? Fünf?« – »Du, Judith, versteh mich richtig, wir kennen uns ...« – »Ich verstehe dich richtig. Aber bitte versteh du mich auch. Ich kann heute Nacht nicht alleine sein, ich kann es nicht, ich – kann – es – wirklich – nicht!« Er sah sie verdutzt an. So jemand wie sie bekam in Filmszenen eine Minute später einen Nervenzusammenbruch. Wie sollte er dieses Phänomen seinen Fischerfreunden erklären?

Mehr aus Verlegenheit denn aus Kalkül begann sie ihn zu streicheln, zuerst leicht, dann etwas fester und nachhaltiger.

Das machte sie so gut, dass er in jenen Körperregionen, wo wahre männliche Willensentscheidungen fallen, bald spürte, dass es doch schade wäre, jetzt zu gehen. »Übersiedeln wir ins Schlafzimmer?«, flüsterte sie. »Okay, wir übersiedeln«, erwiderte er.

3.

Chris besaß die männliche Fähigkeit, drei Sekunden nach einem Orgasmus einzuschlafen und den in Sekundenschnelle vollzogenen Übergang auch noch mit Schnarchgeräuschen zu quittieren. Zum Glück ebbten diese bald ab und gingen in friedliches Schnaufen über. Judith lag auf dem Rücken und schob seine schlaffe Hand vom Busen über den Bauch. So fungierte sein Arm als Sicherheitsgurt, der sie bis zum frühen Morgen schützen sollte.

Sie konzentrierte sich darauf, nur nicht an Hannes, den Türsteher und Alarmschlager, zu denken. Irgendwann müssen ihr dabei die Augen zugefallen sein. Als ihr das bewusst wurde, war dieser seltsame Klangteppich wieder da, der wie von schwingenden Blechplatten erzeugt schien. Danach setzten Flüstertöne ein, gefolgt von zischenden Lauten, wie schon die Nächte davor. Und dann wiederholte die unverwechselbare Stimme die ersten Worte ihrer gemeinsamen Begegnung im Supermarkt, diesmal ganz leise, nur für Judith hörbar, einzig für sie bestimmt: »Dieses Gedränge, dieses Gedränge, dieses Gedränge.« Sie blieb ruhig, bewegte sich nicht, atmete langsam. Sie wusste, welche Worte als Nächstes folgen würden. Sie war stolz darauf, dass er ihr nichts mehr vormachen konnte, dass sie ihn durchschaut hatte. Sie bewegte spöttisch ihre Lippen dazu: »Nochmals Verzeihung für den Tritt, nochmals Verzeihung für den Tritt, Verzeihung für den Tritt.« Sie spürte ein Kitzeln in ihrer Brust, bemerkte, dass sich ihre Mundwinkel nach oben spannten. Sie hatte das dringende Bedürfnis zu lachen, sie konnte sich kaum noch zurückhalten. War das nicht ein komisches Spiel? Wo war Hannes? Wo hielt er sich versteckt? Wo hatte er sein Quartier aufgeschlagen? Immer wenn sie ihn zu sehen glaubte, verschwammen die Bilder. Immer wenn sie nach ihm griff, wich er zurück.

Sie wollte ihren dröhnenden Kopf anfassen, den Schweiß von der Stirn wischen, aber ihre Hände blieben starr. Sie hörte sich selbst leise kichern. Sie versuchte sich aufzurichten. Doch da lastete ein Fremdkörper auf ihr, fixierte sie wie eine mächtige Klammer. Plötzlich war sie von Panik ergriffen. Hannes neben ihr im Bett. Wo waren sie? Im Hotelzimmer? Noch immer in Venedig? Noch immer ein Paar? Hat er es noch nicht kapiert? Weiß er es noch gar nicht? Sie bemühte sich, mit dem Bauch dagegenzupressen. Doch je mehr sie sich anstrengte, desto schwerer wurde der Gegenstand auf ihr, drückte ihr in die Eingeweide, blockierte ihre Atemwege. Sie rang nach Luft, keuchte, spürte, wie ihre Schläfen heiß wurden. Jetzt musste sie handeln, bevor der Balken sie endgültig erdrücken würde. Hannes? Wie sagte er? Wie waren seine nächsten Worte?

»So was kann höllisch wehtun. So was kann höllisch wehtun. So was kann höllisch wehtun.« – Das war ihre eigene Stimme. Sie erschrak über die Lautstärke. Die tonnenschwere Last auf ihrem Bauch begann sich zu heben, holte zum

Schlag aus. Mit beiden Händen packte sie die feindliche Waffe, führte sie zum Mund, spürte harten Widerstand an ihren Zähnen, salzigen Geschmack auf ihrer Zunge.

»Au. Bist du wahnsinnig?«, schrie er auf. »Was tust du da?« – Jetzt war sie hellwach. Von einer Sekunde auf die nächste vollzog sich in ihrem Kopf ein Programmwechsel. »Scheiße«, murmelte sie kleinlaut. Sie schaltete das Licht an. Chris blutete. Ihr Kiefer schmerzte. Sie sprang auf, rannte ins Badezimmer, holte ein feuchtes Handtuch, wickelte es um seinen Arm.

Chris kauerte im Bett, hatte den Mund offen und die Augen weit aufgerissen. Er betrachtete Judith argwöhnisch von der Seite. »Was bist denn du für eine?«, sagte er betreten. – Was war das nur für eine fürchterliche Frage an sie? »Ich, ich, ich … muss schlecht geträumt haben«, sagte sie. »Es tut mir so schrecklich leid.« Er streifte das Handtuch herunter und betrachtete seine Wunde. Sein Arm zitterte.

»Das ist nicht normal, Judith. Das ist nicht normal«, sagte er. »Das weißt du, dass das nicht normal ist???« Jetzt war er richtig böse. Sie begann leise zu schluchzen. »Machst du das öfter?«, giftete er sie an. – »Ich muss schlecht geträumt haben«, wiederholte sie. »Ganz, ganz schlecht.« – Er stand abrupt auf, suchte seine Sachen zusammen, begann sich hastig anzuziehen, besuchte noch schnell das Badezimmer und bog dann gleich zum Vorraum ab. »Ein letzter guter Tipp«, rief er ihr zu, »träum niemals ganz, ganz schlecht mit einem schweren oder spitzen Gegenstand in deiner Hand!«

4.

Im Geschäft empfing Bianca sie mit den Worten: »Sehr gut geschminkt sind Sie aber nicht, Chefin. Sie haben die ur Ringe unter den Augen.« Judith fiel ihrem Lehrmädchen in die Arme und weinte. »Nehmen Sie sich's nicht so zu Herzen«, sagte Bianca, »wir kriegen das schon hin. In meiner Handtasche hab ich fünf verschiedene Lidschatten.«

Judith erzählte ihr von ihrem Liebesabenteuer und dessen Eskalation. »So schlimm ist das auch wieder nicht«, meinte Bianca. »Ich glaube, dass das den Männern sogar irgendwie gefällt, wenn man sie etwas härter anfasst.« Judith: »Ich hab ihn nicht etwas härter angefasst, ich hab ihm beinahe den Arm abgebissen.« Bianca lachte. »Bleiben Sie cool, Frau Chefin. Rufen Sie ihn an und sagen Sie ihm: *Ich verspreche, wenn wir das nächste Mal vögeln, nehme ich den Beißkorb mit.*« – Jetzt ging es Judith deutlich besser.

Ihr wirkliches Problem würde Bianca überfordern, aber Judith musste es einmal auch vor sich selbst formulieren. »Ich krieg diesen Hannes nicht mehr aus dem Kopf. Es wird immer schlimmer. Ich glaube, ich habe echte Wahnvorstellungen. Manchmal bin ich so sicher, dass er alles kontrolliert und jeden meiner Schritte verfolgt. Und manchmal ist er schon so sehr in mir drinnen, dass ich zweifle, ob er das überhaupt sein kann, ich meine, er als Person. Ob das nicht ich selbst bin, die sich das Ganze einbildet. Verstehst du?« Bianca zögerte eine Weile und musterte sie. Dann sagte sie: »Geistesgestört sind Sie nicht, glaube ich. Da gibt es ganz andere Typen, die Leichen zerstückeln und dann die Teile einzeln …« – »Okay, Bianca, danke, dass ich das loswerden konnte.« Sie ging rüber ins Büro.

Nach einer Weile folgte ihr Bianca. Sie hatte rote Wangen und sprach in aufgeregtem Tonfall: »Ich hab's, Frau Chefin, damit wir wissen, ob er draußen oder drinnen ist« – sie tippte mit dem Zeigefinger an ihre Schläfe –, »müssen wir ihn aufspüren. Wir müssen uns auf die Lauer legen und ihn beschatten und warten, bis er einen Fehler macht. Und ich habe ur die Idee, wer das machen wird. Eigentlich eh logisch. – Der Basti!«

Er hatte schon einige Male vor der Tür auf Bianca gewartet. Diesmal winkte sie ihn herein. »Chefin, darf ich vorstellen, das ist der Basti, mein fixer Freund«, sagte sie feierlich und drehte mit den Pupillen einen ihrer berühmten Kreise. Er war um die zwanzig, etwa doppelt so groß wie sie, stocksteif wie ein Fahnenmast und etwa auch so gesprächig, hatte rote Haare und arbeitete wirklich bei der Berufsfeuerwehr. »Sehr erfreut«, sagte Judith. »Ich auch«, brummte Basti grimmig und fuhr mit der Zunge über sein Oberlippen-Piercing.

»Basti macht gerade einen Detektiv-Kurs«, berichtete Bianca. »Er möchte sich später auf Handy-Diebe spezialisieren. Ihm selbst ist schon dreimal das Handy gestohlen worden.« Er sah sie an, als wartete er auf die Übersetzung einer Dolmetscherin. »Und da denke ich, ein bisschen Praxis kann ihm nicht schaden.«

Judith war die folgende Situation äußerst unangenehm, Basti war sie scheinbar gleichgültig. Aber Bianca ließ sich von ihrem Plan nicht mehr abbringen. Ihr Freund wurde dazu verpflichtet, einen gewissen Hannes Bergtaler, von dem es leider keine Fotos, sondern nur eine ausführliche Personenbeschreibung gab, ausfindig zu machen, seine Wege zu beobachten und auf Auffälligkeiten Wert zu legen. Als Belohnung versprach ihm Bianca, ihn abends öfters zu begleiten und anschließend noch mindestens eine halbe Stunde auf dem Beifahrersitz seines Autos zu verweilen, eventuell sogar auf einem eigens angesteuerten abgeschiedenen Parkplatz.

5.

Wegen Kanalarbeiten blieb das Lampengeschäft von Donnerstag bis Montag geschlossen. Judiths hochgestecktes Ziel war es, unbeschadet den Sonntag zu erreichen, für den sich Lukas zu Kaffee und Jause angesagt hatte – übrigens erstmals mit »Familie«, was sie ein wenig irritierte.

Ihr Vorhaben scheiterte schon an der ersten Nacht. Diese verging trotz Tabletten leider wieder schlaflos. Judith hatte vergeblich auf die nun bereits vertrauten Klanggeräusche und auf die Stimme mit deren stereotyper Wortfolge gewartet. In der Früh war sie todmüde und völlig niedergeschlagen. Sprach er nicht mehr mit ihr, der Feigling, jetzt, wo sie sich langsam auf seine nächtliche Allgegenwärtigkeit einzustellen begann?

Seine Handynummer hatte sie zwar längst gelöscht, aber im Gedächtnis war eine mit gelben Rosen verzierte schwarze Tafel hängengeblieben, und da standen die Zahlen gut leserlich darauf. Lange meldete sich niemand, doch zur Ankündigung der Mobilbox nannte er schließlich seinen

Namen. Weil sie nichts Besseres vorhatte, zum Essen zu aufgewühlt und zum Schlafen zu kraftlos war und weil noch hundertzwanzig Stunden auf Lukas fehlten, rief sie alle paar Minuten an und wartete mit wachsender Anspannung auf die immer gleiche Mitteilung: »Hier ist der Anrufbeantworter von« – und nun kam seine Stimme – »Hannes Bergtaler.« Einige Male musste sie laut auflachen, dann wieder bebte sie vor Wut. Und schließlich sprach, nein, schrie sie ihm eine Meldung auf die Box: »Hallo, ich bin's! Ich wollte dir nur sagen – ich lass mich nicht für dumm verkaufen. Ich weiß ganz genau, dass du in der Nähe bist und mich beobachtest. Aber soll ich dir etwas verraten? Es stört mich nicht mehr. Du kannst mir keinen Schrecken mehr einjagen. Also zeig dich, du Feigling! Und wenn du es nicht tust, dann lass dir gesagt sein: Ich finde dich, wo immer du bist!«

Nach dem Anruf hielt sie es daheim nicht mehr aus. Im Stiegenhaus bemerkte sie, dass sie noch ihre Pyjamahose und die Hausschuhe anhatte. Aufpassen, Judith, jetzt keine dummen Fehler machen! Sie kehrte um, ließ kaltes Wasser über ihre Schläfen rinnen, zog dicke dunkelrote Striche über ihre Lippen, zog die Sachen vom Vortag an, verbarg ihren dröhnenden Kopf unter einer violetten Wollhaube, verließ die Wohnung, sperrte die Tür hinter sich zu.

Im zweiten Anlauf schaffte sie es ins Freie. Das dünne Nebellicht ätzte in ihren Augen, sodass sie sich mit ihrer Sonnenbrille dagegen zur Wehr setzen musste. Die Menschen auf der Straße machten komische Geräusche, waren seltsam verlangsamt in ihren Bewegungen und missmutig. Erst fühlte sich Judith von ihnen nur gemieden, dann offen angefeindet. Die Kinder starrten sie an und überboten einander mit gemeinen Grimassen. Die Frauen spotteten über ihr Äußeres und beschimpften sie. Die Männer sandten ihr Blicke zu, als würden sie sie am liebsten gleich ins nächste Gebüsch zerren, ihr die Kleider vom Leib reißen und über sie herfallen.

Bei der Straßenbahnhaltestelle tauchte erstmals Hannes auf, aber als sie auf ihn zuging, war es ein anderer. Wie der grimmig dreinschaute! Du gehst besser auf die andere Seite, Judith, da bist du geschützt, da kann dir keiner was antun.

Die Feinde schliefen nicht, auch sie wechselten die Seite. Feinde wechseln immer die Seite, einmal da, einmal dort. Aber du bist schneller, Judith, du bist ihnen den entscheidenden Schritt voraus. Komm, Liebling, geh wieder rüber! Hannes? Er wollte ihr zunächst die Hand reichen, zog sie aber zurück. Es war ein Fremder. Er funkelte sie böse an. »Hasst du mich jetzt?«, fragte sie. Dich hassen? Liebling, du weißt nicht, was du redest. Passanten rückten ihr zu Leibe. Sie wehrte sich, so gut es ging. Sie flüchtete auf die andere Straßenseite – und dann wieder zurück. Immer im Zickzack, so können dich die Giftschlangen niemals erwischen. Einmal noch hinüber, dann hast du sie abgeschüttelt. Pass auf die Autos auf, die quietschen! – Zu spät. Sie konnte nicht mehr davonlaufen. Die Feinde beugten sich über sie. Hannes stand drüben und winkte. Er war traurig. Sie hat ihn schon wieder stehengelassen. »Wir werden uns bestimmt nicht aus den Augen verlieren«, sagte sie. Das werden wir bestimmt nicht, Liebling.

Jemand hielt ihre Hand. Die anderen verstummten. Hab ich dir nicht hundertmal gesagt, pass auf die Autos auf? Endlich eine Stimme von früher, als sie noch ein Kind war.

Phase zehn

1.

»Kind, was machst du für Sachen?«, fragte ihre Mutter am Bettrand. Judith blinzelte. Ihre Augen mussten sich erst langsam an das weiße Neonlicht gewöhnen. »Wie spät ist es? Hab ich geschlafen?«, fragte sie. Eine blonde Stationsschwester mit schiefem Gebiss gesellte sich dazu, studierte das Patientenblatt, maß ihren Puls und lachte gekünstelt.

Es war Freitagmittag. Am Donnerstagvormittag hatten sie Judith mit der Diagnose »akute schizophrene Psychose« eingeliefert, erfuhr sie. Davor war sie angeblich in der Gegend herumgeirrt, hatte wahllos Passanten angepöbelt und wirres Zeug geredet. Sie war mehrmals über die Straße gelaufen, ohne auf den Verkehr zu achten. Schließlich war sie von einem Fahrzeug niedergestoßen worden. Der Unfall war zum Glück glimpflich verlaufen, sie hatte leichte Prellungen an Armen und Beinen und eine Platzwunde am Kopf erlitten. Der Notarzt hatte sofort die Einweisung in die psychiatrische Klinik veranlasst.

»Was ist passiert, Kind? Was ist los mit dir?« – »Mama, hör auf zu jammern, es ist ja wieder alles gut«, erwiderte Judith. Sie fühlte sich auf eher unangenehme Weise wie neugeboren, zerknautscht und zerdrückt, ausgerechnet im Spital an die Luft gesetzt, wo es nach mit Penicillin versetztem Kalbsgulasch roch, vom grell-sterilen Licht geblendet, noch nicht wirklich da, aber unendlich müde, und das nach angeblich beinahe vierundzwanzig Stunden Schlaf. Und schon wartete eine der größten Herausforderungen des Lebens auf sie – sie musste Mama beruhigen.

In dem jungen Assistenzarzt, der verschiedenfarbige Augen hatte, wobei ihm das dunkle eindeutig besser zu Gesicht stand, fand sie leider keine Unterstützung. Für ihn war physische Erschöpfung – Stress, Schlaf-, Nahrungs- und Vitaminmangel und ähnliche Dinge – der wahrscheinliche Auslöser für den psychotischen Schub gewesen. »Da spielt der Kopf dann irgendwann verrückt«, sagte der Arzt. »Kind, warum um Himmels willen isst du denn nichts?«, fragte Mama weinerlich. Judith: »Mama, bitte! Hier krieg ich Essen durch Schläuche, das ist viel bequemer, da braucht man kein Besteck.« – »Und warum schläfst du nicht? Was treibst du in der Nacht?« – »Sex, Mama, durchgehend Sex!« Der Assistenzarzt zwinkerte ihr mit dem uncharmanten helleren Auge zu.

»Und wann darf ich hier raus?«, fragte Judith. »Sie sind gerade erst gekommen und wollen uns schon wieder verlassen?« Nun spielte er den Beleidigten. »Nein, nein. Jetzt bleiben Sie schon eine Weile bei uns.« Und zur still applaudierenden Mutter: »Wir werden Ihre Tochter einmal ordentlich aufpäppeln, und dann schauen wir uns an, wo da der Wurm drinnen steckt.« Er meinte Judiths Kopf, und das war weder ein stilsicheres noch ein anmutiges Bild. Aber Mama nickte zufrieden. »Was Sie jetzt dringend brauchen, ist absolute Ruhe«, meinte der Mediziner. Vier Augen in drei Farben sahen Mutter an. Die verstand die Botschaft dennoch nicht und blieb eine weitere gute halbe Stunde.

2.

Am Sonntagnachmittag waren die Winningers – Lukas und »Familie« – bei Judith zum Kaffee eingeladen. Aus organisatorischen Gründen musste die Jause leider in den Besucherempfangsraum der psychiatrischen Klinik verlegt werden, den sie Cafeteria nannten. Sibylle und Viktor, die Kinder, kamen nicht mit. Wahrscheinlich sollte ihnen der Anblick der irren Tante Judith und ihrer Leidensgenossen erspart bleiben.

Lukas und Antonia saßen adrett nebeneinander, wie ein eineiiges Eiskunstlauf-Geschwisterpärchen beim Warten auf die Noten der Punkterichter, erzählten wahnsinnig lustige Geschichten aus der Provinz, richteten der Patientin von allen Personen, denen sie wenigstens einmal im Leben begegnet war, herzliche Grüße und die besten Genesungs-wünsche aus und stellten ihr überaus taktvolle Fragen, die das heikle Thema »Psychose« geschickt umrundeten.

Als die Plauderei dem Ende zuging, überwand Judith ihre vermutlich medikamentös herbeigeführte innere Aus-geglichenheit auf niedrigem Niveau und fragte Lukas betont beiläufig: »Hast du irgendwas über Hannes erfahren?« – »Ja«, erwiderte überraschend Antonia, und auch sie selbst schien von ihrem Zugeständnis überrumpelt worden zu sein. Judith wusste mit einem Mal, warum sie diesmal mit in die Stadt gekommen war und warum Lukas ein anderer war als jener, der versprochen hatte, ihr zur Seite zu stehen, wann immer sie ihn brauchte.

»Judy, wir wollten es dir nur nicht am Telefon sagen«,

entschuldigte sich Lukas. Judith: »Sehr rücksichtsvoll. Besser auf der Psychiatrie!« Antonia: »Er hat mich vor einer Woche besucht.« Judith: »Dich?« – Antonia: »Ja, ich war auch verblüfft, aber er stand auf einmal vor der Tür.« Judith: »Ganz der Alte.« Antonia: »Nein, nicht ganz der Alte!« Sie machte eine künstliche Sprechpause und startete leise wieder an.

»Judith, wir beide, du und ich, wir kennen uns nicht gut.« »Stimmt«, erwiderte Judith bemüht wertfrei und verkniff sich den überfälligen Seitenblick auf Lukas. Antonia: »Vielleicht ist die Perspektive einer Außenstehenden …« Judith: »Ich weiß, was du meinst. Komm, sag schon, spuck es aus!« Antonia: »Judith, vor diesem Mann musst du dich – nie – nie – nie wieder fürchten!« Judith: »Das lässt er mir ausrichten?« Sie tat so, als könnte sie nur mühevoll ein Gähnen unterdrücken. Antonia: »Nein, Judith, das ist die Quintessenz unseres Gesprächs. Das ist meine volle Überzeugung. So was weiß man, so was sieht man, so was spürt man. Das sage ich dir als …« Judith: »Außenstehende.«

»Judy!« Jetzt war Lukas am Wort. Er griff wirklich schön bedächtig und zart nach ihrer linken Hand, als hätte er diese Szene vor dem Spiegel geübt. Schon ein wenig enttäuschend, dass Antonia nicht den Funken von Eifersucht erkennen ließ. »Judy, wir wollen dir helfen, dein Feindbild abzubauen. Damit muss endlich Schluss sein. Das zermürbt dich. Das macht dich traurig. Das macht dich fertig. Das macht dich, ja, das macht dich krank.« – »Und es gründet auf einem Irrtum, auf einer völligen Fehleinschätzung der Situation«, vollstreckte Antonia. Endlich wirkten sie auch rhetorisch wie ein eineiiges Zwillingspaar. Schwesterchen:

»Judith, dieser Hannes will dir nichts Böses!« Brüderchen: »Ehrlich nicht, im Gegenteil.« Schwesterchen: »Er würde alles dafür tun, dass es dir wieder besser geht.« – »Moment!«, protestierte Judith. Jetzt hatte sie endlich wieder Kraft in ihrer Stimme. »Wie kommt er überhaupt auf die Idee, dass es mir schlecht geht?« – Lukas: »Judy, das ist ja schon längst nicht mehr zu übersehen. Das wissen wir alle. Darunter leiden Ali, Hedi, deine Familie. Darunter leiden alle deine Freunde, alle, denen du am Herzen liegst.«

»Ich will aber nicht, dass ich Hannes am Herzen liege. Denn – er – ist – definitiv – nicht – mein – Freund!« So, jetzt wusste es auch die Stationsschwester mit dem schiefen Gebiss. »Und er wird es niemals werden, wie viele Bittsteller und Fürsprecher er mir auch ans Krankenhausbett schickt.« Sie entzog ihm die Hand. »Schade, dass du auch schon zu seinen PR-Agenten zählst. Ich dachte, wenigstens DU bist auf meiner Seite.« Sie streifte Antonia mit einem hastigen Blick. Lukas: »Judy, ich BIN auf deiner Seite. Denn es gibt hier nur eine Seite. Es gibt keine Gegenseite. Bitte fang endlich an, das zu begreifen. Nur so kommst du aus dem Schlamassel heraus!« – »Okay, okay, okay. Therapiestunde beendet?«, fragte Judith. Sie rang sich ein Lächeln ab. Auf dieses Signal schien die Krankenschwester gewartet zu haben. »Es wäre dann bitte!« Sie tippte in Ermangelung einer Armbanduhr auf ihre Pulsader.

»Judy, wenn du willst, komme ich morgen wieder«, sagte Lukas, »und wir reden in Ruhe darüber.« Er nahm noch einmal ihre Hand, das tat gut, trotz oder wegen Antonia. »Danke, wirklich nicht notwendig, ich glaube, ich hab's verstanden«, erwiderte Judith so freundlich sie konnte.

»Aber schön, dass ihr gekommen seid!« Ohne Spritzen und Tabletten hätte sie diesen Satz nicht herausgebracht. »Ruf mich einfach an, wenn dir danach ist«, sagte Lukas, »ich bin immer für dich da.« Antonia nickte, um seine Worte abzusegnen. Dann gab es noch vier Küsse auf Judiths Wangen, zwei warme und zwei kühle.

3.

Am Dienstag hatte sie ihr erstes, stationäres Rendezvous mit Jessica Reimann, keine vierzig Jahre alt, keine 1,65 Meter groß, keine fünfzig Kilo schwer – aber offenbar sehr kopflastig oder zumindest Fachärztin für Psychiatrie. Sie saß vor einem übermächtigen Computer und tippte von einem Zettel mit fünf oder sechs Namen – Judiths Daten ein. »Wer sind die anderen?«, fragte Judith. Reimann lächelte schelmisch. – »Vergleichbare Krankengeschichten, aus unserem schlauen Archiv.« Toll, dass nun auch Judith »Krankengeschichte« schrieb, dachte sie, vielleicht würde sie ebenfalls einmal archiviert werden. Nun sah sich die Ärztin ihre Gehirnstromanalysen und dieses ganze Untersuchungszeug mit Kurven, Tabellen und Legenden an, schüttelte dann enttäuscht den Kopf, blickte geradezu mitleidig zu ihr auf und sagte: »Entsetzlich langweilig! Keine zerebralen Schädigungen, keine Störungen, keine Auffälligkeiten, keine Vorgeschichten, keine Unfälle, keine Erbschaften von der Gaga-Oma, gar nichts.« Die war ihr sympathisch.

Sie erklärte, dass eine schizophrene Psychose an sich nichts Aufregendes sei, dass jeder hundertste Mensch in seinem Leben zumindest einmal davon heimgesucht würde. »Für Sie ist das natürlich nichts Aufregendes, Sie kennen ja fast nur hundertste Menschen«, stellte Judith fest. Reimann lachte herzhaft, dieser Gag dürfte ihr tatsächlich neu gewesen sein.

Jedenfalls freute sie sich, Judith mitteilen zu dürfen, dass jedem vierten Psychose-Patienten eine zweite Episode der realitätsfernen Art erspart blieb. »Und wenn Sie brav Ihre Neuroleptika nehmen, vor oder nach dem Zähneputzen, ganz egal, nur nicht währenddessen, dann sind Sie mit Sicherheit eine vierte!« Mit dieser Frau konnte man verhandeln, dachte Judith.

Gleich sollte es aber doch unangenehmer werden. Judith musste erstmals von ihrem »Vorfall« erzählen. »Tut mir leid, daran kann ich mich nur noch bruchstückhaft erinnern«, wehrte sie sich. »Bestens«, erwiderte Reimann, »ich liebe Bruchstücke. Mit dem Zusammensetzen derselben beschäftige ich mich oft wochenlang. Also nur zu!«

Judith: »Es war nach einer Nacht, in der ich nicht schlafen konnte. Danach weiß ich leider nicht mehr viel.« Reimann: »Warum nicht?« Judith: »Was?« Reimann: »Warum konnten Sie nicht schlafen?« – »Weil ich anscheinend nicht müde genug …« – »Weil Sie Stimmen gehört haben?« – »Wieso glauben Sie das?« Reimann: »Weil das recht beliebt ist unter hundertsten Menschen.« Judith: »Dann muss ich Sie enttäuschen. Ich habe KEINE Stimmen gehört. Deshalb, äh, konnte ich vielleicht nicht einschlafen.« – Jessica Reimann rieb sich die Hände: »Das gefällt mir, endlich einmal andersrum! Und weiter?« – »Wie weiter?« – »Was war am nächsten Tag?« – »Ich war k. o., niedergeschlagen, streichfähig, aber irgendwie aufgedreht, wie in Trance, ferngesteuert, was weiß ich.«

»Was belastet Sie?« – »Hm, schwer zu sagen«, log Judith. So gut kannten sie einander noch nicht. »Ist es Ihr Job?« – »Nein, sicher nicht.« Judith lächelte. »Dann also Ihr Privatleben.« – »Habe ich schon lange keines mehr.« – »Die keines haben, haben oft das intensivste, die haben es nämlich ganz für sich allein«, sagte Reimann. Und danach, schon ein wenig ungeduldig: »Also, wer ist es? Die Mama, der Papa, der Freund, der Ex, der Lover, dessen Ehefrau, deren Hauskaninchen? Alle zusammen? Wer nervt Sie? Was reibt Sie auf? Worunter leiden Sie?«

Judith senkte den Kopf und tat so, als würde sie angestrengt nachdenken. »Okay, lassen wir das, ist ja IHR Privatleben«, sagte Reimann bemerkenswert freundlich. »Sie haben dann also irgendwann das Haus verlassen. Woran erinnern Sie sich?« – »An viele Menschen, die sich über mich gebeugt haben. Ich muss in meiner Verwirrung in ein Auto gerannt sein.«

»Wer hat Sie dort hingetrieben?« Judith zuckte zusammen. Die Frage war erschütternd konkret und indiskret zugleich. »Stimmen?«, fragte Reimann. Da Judith nichts herausbrachte, bohrte sie weiter: »Stimmen, die Ihnen Befehle erteilt haben?« – »Nein, Befehle waren keine dabei«, sagte sie, »nur Empfehlungen.« Reimann lachte, das tat gut. »Und was empfahlen sie Ihnen?« – »Die Straße zu überqueren.« – »Keine gute Empfehlung.« – »Das weiß ich heute auch«, sagte Judith, »ich werde einfach nicht mehr auf sie hören.« Phasenweise machte ihr das Gespräch richtig Spaß.

»So, wir sind gleich fertig«, versprach Jessica Reimann. Judith ahnte, was noch kommen würde. »Wem gehören die Stimmen?« Natürlich. Judith seufzte. »Die sind gar nicht so leicht wem zuzuordnen. Es ist, wie soll ich sagen, eine Mischung aus Bekannten und Verwandten und Fremden …« – »Okay, lassen wir das«, sagte Reimann neuerlich, als hätte sie den Schwindel durchschaut. »Jetzt dürfen Sie wieder relaxen und das köstliche Spitalsessen genießen.«

Bei der Verabschiedung musterte die Ärztin sie noch einmal von oben bis unten und bemerkte dann, diesmal ziemlich ernst, geradezu sorgenvoll: »Auch ich habe eine Empfehlung für Sie.« – Judith: »Und zwar?« – Reimann: »Verschließen Sie sich nicht! Vertrauen Sie denen, die es gut mit Ihnen meinen. Gehen Sie auf Ihre Freunde zu. Psychische Probleme drückt man niemals alleine durch. Der beste Nährboden für ewige hundertste Menschen ist die Isolation.«

4.

Am Freitag hätte sie die Klinik verlassen dürfen. Doch abgesehen von der chronischen Scheußlichkeit eines zwangs-koffeinfreien Kaffees – man trank ja auch keinen alkoholfreien Alkohol – gefiel es ihr hier auf der Station von Tag zu Tag besser, weshalb sie ihren Kuraufenthalt, im Zuge dessen sie bereits vier Kilo zugenommen hatte, übers Wochenende verlängerte. Sehr zur Freude ihres zweifarbäugigen Leibarztes, der den Grund für Judiths Verweillust bei sich selbst vermutete und die Intervalle der Visiten dramatisch verkürzte. Kurzum: Er hatte ein Auge auf sie geworfen. Leider das falsche.

Reimanns Empfehlung nahm sie sich so schnell und so sehr zu Herzen, dass ihr Spitalsaufenthalt alsbald Wohngemeinschaftscharakter hatte. Nach und nach lud sie alle ihre Freunde von früher ein und holte sich Serien von Komplimenten, wie gut sie aussah, wie fröhlich, locker und erholt sie wirkte, wie schön doch ihr Lachen war und wie sexy ihr kurzes weißes Nachthemd. Der Zuspruch von außen motivierte sie, machte sie geradezu euphorisch. So einen rasanten Heilungsprozess des Gemüts in einer psychiatrischen Anstalt musste ihr erst einmal jemand nachmachen.

Und plötzlich hatte sie auch wieder ein bis zwei offene Ohren für die Sorgen der anderen, für deren belastenden Alltagskleinkram, der sich immer nur notdürftig zur Seite schaufeln, aber niemals wegräumen ließ. Bald würde sie sich auch wieder über die wunderbaren Nichtigkeiten aufregen können, über fehlende Müllsäcke, über Fruchtfliegen-Brigaden in der Obstschüssel, über Socken, die nach dem Waschgang den Partner gewechselt hatten und mit diesem farblich oder stofflich nun nicht mehr harmonierten.

Ein paar schwierige Phasen galt es wohl noch zu überstehen, dachte sie, dann würde ihr Trauma überwunden sein. Zuletzt gelang es ihr sogar ein paar Mal, an Hannes zu denken, ohne in Unruhe zu geraten. Da er all ihre Freunde und mittlerweile selbst Lukas von seinen guten Absichten überzeugt hatte, war es wahrscheinlich doch sie allein gewesen, die sich die Dinge immer so zusammengereimt hatte, dass Hannes am Ende ihr Dämon war, die dunkle Seite ihrer Seele.

In den Nächten hörte sie jedenfalls weder Geräusche noch Stimmen, noch sonst etwas Befremdliches. Und sie rechnete auch gar nicht mehr damit. Natürlich drückte sie die Chemie abends immer ein wenig nieder und ließ sie künstlich tief in den Schlaf fallen, aber beim Erwachen in der Früh war ihr Kopf klar, und sie schaffte es, ohne Angst in die Zukunft zu blicken. Draußen dann würde sie ihr »Privatleben« in Angriff nehmen, um irgendwann einmal mit einem ehetauglichen Mann eine stinknormale Familie zu gründen, so in etwa dreißig, vierzig Jahren ungefähr. Wenn sie so dachte, war sie bereits wieder eine von neunundneunzig.

Am Sonntagnachmittag, vor ihrer letzten Nacht im Spital, kam dann auch noch Bianca zu Besuch und strahlte sie schon von weitem an. »Frau Chefin, Sie sind ja urdick geworden im Gesicht, man sieht gar keine Backenknochen mehr«, meinte sie, »aber trotzdem haben Sie irgendwie noch immer die Figur von Kate Moss. Und das ist unfair! Wenn ich zu viel esse, geht immer volle alles in den Busen und in den Hintern.« Überdies sei sie in dieser Woche, in der sie das Geschäft alleine geführt hatte, um mindestens zehn Jahre gealtert, so stressig sei es gewesen, schilderte das Lehrmädchen. »Kaum wird es früher finster, kaufen alle Lampen«, beschwerte sie sich.

»Bianca, ich bin echt stolz, dass du das dichte Programm ganz alleine bewältigt hast«, sagte Judith, nachdem sie sich einen Überblick verschafft hatte. Bianca: »Hat eigentlich eh Spaß gemacht. Außerdem …« Jetzt zappelte sie aufgeregt herum. Judith: »Was außerdem?« – Bianca: »Außerdem

habe ich volle eine Überraschung, die noch auf Sie wartet!«
Judith: »Komm, sag schon!« – Bianca: »Nein, erst im Geschäft. Sie werden es dann eh gleich sehen.« Ihre Lippen
bogen sich zu einem konturenscharfen lila Halbkreis nach
oben.

5.

Montagvormittag verließ sie die Station und fuhr, vom
Bodennebel begleitet, mit dem Taxi nach Hause. Im Stiegenhaus hätte sie, um die Stille zu brechen, gerne ein paar
Mitbewohner gegrüßt und auf den trüben Oktober ange-
sprochen, aber es war wie immer niemand zu sehen, und
es roch wie gewohnt nach Moder, Zwiebeln und Altpapier.
Beim Öffnen der Wohnungstür – das war seit Tagen der
erste beklemmende Gedanke – fiel ihr Herr Schneider ein,
der krebskrank verstorbene Nachbar, dessen Partezettel an
ihrer Tür gehangen war.

In ihrer Wohnung, die mit Gedenkzeichen an eine grau-
enhafte Phase übersät war, fühlte sie sich unwohl. Mit hek-
tischer Betriebsamkeit versuchte sie dagegen anzukämpfen,
wechselte Bettwäsche, stellte Möbel um, dekorierte Wände
neu, sortierte ihren Kleiderschrank aus, trennte sich sogar
von zwei Paar Schuhen und kleidete sich dann kanarien-
vogelfarben für den wieder beginnenden Geschäftsalltag
ein.

Am späten Nachmittag betrat sie ihren Lampenladen,
und gleich beim Eingang, an dem sie von Bianca mit feierlicher Geste empfangen wurde, fiel ihr die Veränderung

auf: Das Licht war anders, matter, gedämpfter, es fehlte der eigentümliche Glanz. Der Luster war weg, der monströse ovale Kristallluster aus Barcelona, den fünfzehn Jahre lang jeder bewundert, aber keiner mitgenommen hatte, Judiths Juwel unter den Lampen, ihr teuerstes Stück.

»Verkauft!«, sagte Bianca. Sie stand militärisch stramm da und klopfte sich auf die Brust. »Wahnsinn«, brachte Judith gerade noch heraus. Bianca: »7580 Euro, Frau Chefin. Freuen Sie sich nicht?« Judith: »Doch, klar, natürlich, und wie! Ich bin nur … ich muss mich erst …« Sie setzte sich auf die Stufe. »Wer?«, fragte sie. Bianca zuckte mit den Schultern: »Keine Ahnung.« – Judith: »Was heißt das?«

Bianca: »Das heißt, dass ich nicht sagen kann, wer ihn gekauft hat, weil diejenige Frau nämlich gar nicht da war, weil am Montag, oder war es am Dienstag, nein, ich glaube, es war am Montag … oder war es am Dienstag?« Judith: »Egal!« Bianca: »Da hat ein Mann angerufen von einem Büro Soundso, und der hat gesagt, dass die Frau Dingsda einen Luster kaufen will, den sie bei uns im Geschäft gesehen hat. Und der Mann, der angerufen hat, der hat den Luster dann eindeutig beschrieben, dass ich gleich gewusst habe, das kann nur der Riesenluster aus Barcelona sein, wo das Kristall so schön knistert. Und dann hab ich natürlich gesagt, was er kostet. Und dem Mann ist dabei aber gar nicht alles heruntergefallen, sondern er hat gesagt, dass der Preis volle okay geht, weil die Frau den Luster unbedingt haben will, und dass wir ihn gleich abhängen und verpacken können und dass jemand kommen wird und ihn abholen wird. Und am Freitag … oder war es doch schon am Donnerstag?« Judith: »Egal!«

»Jedenfalls haben sie ihn dann wirklich abgeholt und alles bezahlt, gleich cash, bar auf die Hand!« Judith: »Wer?« – Bianca: »Die von der Botenfirma. Zwei junge Männer waren es, aber leider keine hübschen.« Pause. »Freuen Sie sich nicht?«, fragte Bianca. – »Doch, freilich, das war nur so überraschend, dass ich erst …« Bianca: »Ich verstehe Sie schon, der Luster ist zehnmal so alt wie ich, und der hängt ewig da, da hängt man dann umgekehrt natürlich auch an ihm, oder? Aber bei 7580 Euro …« – Judith: »Und du weißt nicht, wer die Käufer sind?« Bianca: »Na ja, Chefin, ich war natürlich auch neugierig, und da hab ich den einen von den jungen Männern, den Größeren von den beiden, so einer mit halblangen blonden …« Judith: »Egal!« Bianca: »Ich hab ihn gefragt, wo sie den Luster hinliefern. Der hat gesagt, das weiß er selbst noch gar nicht, weil er erst den Mann von der Firma anrufen muss, das heißt, den hat er eh schon öfter angerufen, aber er hat ihn noch nicht erreicht, also hat er es noch nicht gewusst.« Judith: »Aha.«

Bianca: »Aber ich hab natürlich weitergebohrt und hab gefragt, auf welchen Namen der Luster lautet, also wie die Frau heißt, die ihn gekauft hat.« Judith: »Und?« – »Da hat der eine junge Mann, also der andere, gesagt, dass sie das eigentlich überhaupt nicht sagen dürfen, weil die Käufer oft anonym bleiben wollen, weil die Frau vielleicht eine reiche Kunstsammlerin ist, vielleicht hat sie auch schon einen Picasso daheim, da will man dann nicht …« Judith: »Ich verstehe schon.«

Bianca: »Aber er hat mir den Namen trotzdem verraten, wahrscheinlich wollte er sich wichtigmachen oder mich angraben, obwohl, wäääh, bitte, der war urhässlich.« Sie schnitt eine Grimasse und griff dann zu einem schon vorbereiteten Blatt Papier. »Isabella Permason heißt sie, nur mit einem M, glaub ich. Ich hab schon nachgeschaut, berühmt ist sie nicht, und auf Facebook ist sie auch nicht.«

»Isabella Permason«, flüsterte Judith und starrte auf den Zettel. – »Kennen Sie sie?« – »Nein, nein«, erwiderte Judith, »nur der Name … der Name …« – »Ist ja egal«, sagte Bianca, »Hauptsache, sie hat den Luster gekauft, Frau Chefin. Finden Sie nicht auch?« – »Ja, Bianca.« – »Aber Sie freuen sich volle überhaupt nicht«, beschwerte sich das Lehrmädchen. »Doch«, sagte Judith, »es kommt schon, es kommt schon.«

Phase elf

1.

Die ersten Nächte daheim waren ein selbst auferlegter psychischer Härtetest. Judith wusste, wie gefährlich es war, bei Dunkelheit in diesen ungeschützten Räumen an Hannes zu denken, das war wie Krafttraining unmittelbar nach einem Bandscheibenvorfall. Doch es ging nicht anders. Immer wenn sie die Augen schloss, aktivierte sich die unerquickliche Bildergalerie der vergangenen Monate, und darin war Hannes stets ihr furchterregendes Hauptmotiv gewesen. So zwang sie sich, die Augen offen zu halten, solange dies möglich war. Jeden Morgen danach fehlten ihr wieder einige Stunden Schlaf.

Es gab aber auch andere, widersprüchliche neue Gedanken an ihn: Hannes hatte da plötzlich die Seiten gewechselt, war aus ihrem Schatten getreten, war nicht mehr ihr Verfolger, sondern ihr engster Verbündeter. Es waren schöne, mitunter verklärte Vorstellungen: Im Schulterschluss mit ihm befreite sie sich von ihren Ängsten, öffnete sich ihren Freunden, vertraute sich ihrem Bruder Ali an, suchte und fand die Nähe zu ihren Eltern. Hannes übernahm die Führerrolle, war Beschützer und Vermittler, ihr längst überfälliges Bindeglied zwischen innen und außen, der Garant für Harmonie, der Schlüssel zu ihrem Glück.

Judith bildete sich ein, dass es die Wechselwirkung der

Medikamente war, die diese akrobatischen Gedankensprünge auf die sichere Seite ermöglichte. Um das neue Gefühl der Geborgenheit länger in sich tragen zu dürfen, erhöhte sie – was ihr von Jessica Reimann streng untersagt war – die Dosis aller drei Pulver und steigerte sich damit in rauschähnliche Zustände. Manchmal waren diese von Sehnsuchtsattacken an Hannes begleitet, in denen sie sich nichts dringlicher wünschte als ihn wieder zurück in ihr Leben.

Wenn die Wirkung nachgelassen hatte, was meistens zwischen Mitternacht und dem Morgengrauen der Fall war, fand sie sich nicht nur abermals einsam auf der anderen Seite, abgeschieden von allen Menschen, die ihr wichtig waren, unfähig, auch nur einen Mauseschritt auf sie zuzugehen. Sie hatte nun auch wieder ihren Feind im Schatten, Hannes, den Verursacher allen Übels, den Erreger ihrer Krankheit. Sie genierte sich, diesem Mann gegenüber Nähe verspürt, ja, diese herbeigesehnt zu haben. Und sie wunderte sich über ihre Anfälle naiven Vertrauens und hündischer Unterwürfigkeit.

Aber auch diese Katerstimmungen hatten Bruchstellen, in denen sie sich dabei ertappte, die verkehrte Richtung einzuschlagen, einen Weg zu gehen, der sie von allen entfernte, die es gut mit ihr meinten, und der in die Sackgasse der Isolation mündete. Da fiel ihr die Warnung der Psychiaterin ein. Judith war im Begriff, stur, borniert, misstrauisch und feindselig Kurs auf die Insel der ewigen hundertsten Menschen zu nehmen. Um das zu verhindern, schluckte sie je eine Tablette, und die nächste Fahrt in der Hochschaubahn ihrer Gehirnzellen begann.

2.

Im Geschäft wartete Bianca wieder mit einer Überraschung auf. Basti saß auf Judiths Bürostuhl, Papier und Kugelschreiber auf dem Schoß, und drehte verlegen an seinem Kügelchen oberhalb der Lippe. »Wir haben die Spur zu Ihrem Ex aufgenommen«, sagte Bianca. Das klang wie der Text einer Sprechblase aus einem satirischen Detektiv-Cartoon. »Sie haben sicher geglaubt, wir haben volle vergessen, aber wir wollten Sie nur wieder zu Kräften kommen lassen, stimmt's, Basti?« Erst zuckte er mit den Schultern, dann entschied er sich, zustimmend zu nicken. Sie strich mit den Fingerspitzen durch sein rotes Haar und gab ihm einen klatschenden Kuss auf die Stirn.

Danach legten sie ungefragt ihren ersten Rechenschaftsbericht vor: Zunächst hatten sie Hannes beim Betreten und Verlassen des Architekturbüros zu beobachten versucht. »Aber dort ist er nie aufgetaucht, egal wann Basti es probiert hat«, erklärte Bianca. Schlussfolgerung: »Er arbeitet woanders oder daheim, oder er ist im Krankenstand oder im Urlaub.« Basti überflog seine Notizen, hob einen geknickten Zeigefinger und murmelte: »Oder arbeitslos.«

An acht Werktagen jeweils nach Dienstschluss hatte Basti sein Auto in der Nisslgasse, gegenüber von Hannes' Wohnhaus, geparkt und, gemeinsam mit Bianca, das Eingangstor ins Visier genommen. »Dort ist er dann immer wieder aufgetaucht, ich selbst konnte das Objekt mit eigenen Augen lokalisieren«, sagte Bianca. Judith: »Subjekt identifizieren.« Bianca: »Was bitte?« Judith: »Du meinst, du hast ihn erkannt.« Bianca: »Ja klar, das war volle Ihr Hannes, also Ihr Ex-Hannes, so wie der bewegt sich nur einer auf der Welt.«

An seinem Erscheinen war freilich wenig Verdächtiges zu erkennen, erfuhr Judith: Hannes kam oder ging nie in Begleitung, er war immer allein. Er wirkte niemals gehetzt oder nervös. Einmal hielt er einer alten Dame die Tür auf, einmal begrüßte er beim Eingang freundlich ein junges Paar. Seine Kleidung war offenbar so unauffällig gewesen, dass selbst Bianca die Worte dazu fehlten.

Weitere Beobachtungen: Er betrat und verließ das Haus an manchen Abenden mehrmals hintereinander in kurzen Intervallen – und niemals mit leeren Händen. Manchmal hielt er eine Dokumentenmappe unter dem Arm. Dann wieder trug er einen schwarzen Aktenkoffer, einige Male hing ein violetter Sportrucksack auf seinem Rücken, ein paar Mal baumelten Einkaufstaschen von seinen Händen, und einmal, als er aus dem Haus kam, lastete ein in Papier eingehüllter großer Gegenstand auf seiner Schulter, schwergewichtig, wie an seinen angestrengten Gesten zu erkennen war.

Wann er das Haus abends zum letzten Mal verließ und ob er möglicherweise manchmal auswärts nächtigte, blieb vorerst ungewiss. »Das werden wir aber bald rauskriegen«, sagte Bianca, »wenn wir überhaupt noch weitertun sollen. Sollen wir, Chefin? Spaß machen täte es uns schon.« Nach kurzem Zögern und mit der Bitte, es nicht zu übertreiben, willigte Judith ein. Sie wollte ihnen die Freude an ihrem ersten gemeinsamen Forschungsprojekt nicht nehmen.

3.

Als sie den Brief von Hannes in der Hand hielt, befand sie sich in einer guten, harmoniebedürftigen Phase. Es war dies seine erste direkt an sie gerichtete Botschaft seit dem gespenstischen Rückzug im Sommer. Sie wertete es als gutes Zeichen, dass ihre Hand dabei nicht zitterte. Sie lehnte am Küchenregal, biss von einem Croissant ab und studierte das Schreiben, als wäre es eine Werbebroschüre für Fenster-dichtungen. Der zwei Seiten lange Text war am Computer eingetippt und ausgedruckt worden, Schriftart (Arial) und Schriftgröße (14) waren ebenso unauffällig wie der Brief-kopf: Hannes Bergtaler, Nisslgasse 14/22, 1140 Wien.

»Liebe Judith«, danach folgte ein Beistrich, der gesamte Brief kam ohne ein einziges Ausrufezeichen aus. »Liebe Ju-dith, ich habe erfahren, dass du im Spital warst. Hoffentlich geht es dir wieder besser. Die von Univ.-Prof. Dr. Dr. Karl Webrecht geführte Station, an der du angeblich versorgt wurdest, genießt einen exzellenten Ruf. Ich bin überzeugt davon, dass du dort in den besten Händen warst und bist.« Und bist?

»Du hast mir vor zwei Wochen eine Mobilboxnachricht hinterlassen, welche mich sehr betroffen gemacht hat.« – Sie hatte ihm eine Nachricht auf die Box gesprochen? – »Ich weiß, dass mir in der Zeit, in der wir liiert waren, es war die schönste Zeit meines Lebens, viele Missgeschicke unterlau-fen sind und dass ich schwere Fehler begangen habe. Liebe kann bekanntlich blind machen. Die Konsequenz war, dass du dich von mir abgewendet hast. In meiner unendlichen

Liebe zu dir wollte ich das nicht wahrhaben. Ich habe Dinge getan, welche ich heute zutiefst bereue. Ich habe mich in dein Familienleben eingemischt, wiewohl du mich nicht darum gebeten hattest und es auch gar nicht zweckdienlich und dir angenehm war. Dafür will ich dich um Verzeihung bitten. Zu meiner Verteidigung kann ich allerhöchstens ins Treffen führen, dass ich zu dieser Zeit selbst sehr belastet war, auch beruflich, und letztendlich mit einem Burn-out-Syndrom einige Zeit sogar im Spital verbringen musste. Es war mein Tiefpunkt, ich wollte nicht, dass du davon erfährst und dir Sorgen machst oder gar Schuldgefühle entwickelst.

Nach und nach, und da ist die Inanspruchnahme therapeutischer Hilfe ein wichtiger Faktor gewesen, ist es mir aber gelungen, den notwendigen Trennstrich zu dir zu ziehen. Glaube mir, das war ein schwieriger Prozess, der tiefste und längste Tunnel, der mir auf meinem Lebensweg bisher beschieden war. Nun aber bin ich durch, und das Licht strahlt wieder, gedämpft freilich, aber von Tag zu Tag wird es einen Hauch kräftiger. Judith, ich werde dir nie mehr zu nahe treten, NIE WIEDER NÄHER, ALS DU SELBST ES WILLST, das verspreche ich bei allem, was mir heilig ist.« – Das war doch schon einmal ein brauchbarer Ansatz, dachte sie.

»Deine Mobilboxnachricht, liebe Judith, hat mir sehr, sehr wehgetan. Du warst wie verwandelt, gar nicht du selbst, so aggressiv, so böse, so hasserfüllt. Deine Worte schmerzten: Du ließest dich nicht für dumm verkaufen, du wüsstest, dass ich dich beobachte, ich könne dir keinen Schrecken mehr einjagen, also solle ich mich zeigen, ich Feigling. Und wenn nicht, dann fändest du mich, wo immer ich sei.« – Das hatte sie ihm tatsächlich mitgeteilt? Interessant. War das also doch keine Einbildung gewesen.

»Judith, ich wollte dir nie Angst machen, allein schon der Gedanke ist grauenhaft. Ich dachte, es wäre in unser beider Sinn, wenn wir uns eine Zeitlang weder hören noch sehen, deshalb habe ich mich zurückgezogen. Ich habe hier nur den Rat unserer gemeinsamen Freunde befolgt, welche mir zu verstehen gaben, dass du momentan schlecht auf mich zu sprechen, geradezu allergisch gegen mich wärest. Ich will mich aber keinesfalls vor dir verstecken. Ich will in deinen Augen nicht auch noch ein Feigling sein. Um dir das mitzuteilen, habe ich nun diesen Brief verfasst.

Also, Judith, hier bin ich. Ich kann zum Glück auch ohne dich existieren. Dennoch: Mein allergrößtes Anliegen, mein Lebenswunsch wäre es, dass wir Freunde werden könnten. Wenn immer du mich brauchst, werde ich für dich da sein, das versichere ich dir. Meine Gefühle zu dir kann mir ohnehin niemand nehmen. In ewiger Treue, Hannes.«

Sie legte den Brief zur Seite, betrachtete noch einmal ihre Hand, die ruhig geblieben war, schenkte sich aus der blauen Thermoskanne eine Tasse lauwarmen koffeinhaltigen Kaffee ein, nahm ein Glas Wasser, drückte eine Tablette aus der Verpackung, führte sie bereits zum Mund, machte mit der Hand auf halbem Wege kehrt, brach die Tablette in der Mitte, packte eine Hälfte wieder weg, schluckte die andere, spülte einen Schluck Wasser nach, ballte die Fäuste wie in stiller Vorfreude auf einen realistisch gewordenen Sieg und sagte: »Keine Angst mehr, keine Angst.«

4.

Danach gelang ihr das Kunststück, drei Nächte in Serie durchzuschlafen. Außerdem sehnte sie sich nach Gesellschaft. Beides musste gefeiert werden. Wie in uralten Zeiten organisierte sie den Samstagabend in der Gruppe von der Badewanne aus. Gerd freute sich riesig und sagte sofort zu, obwohl er und Romy Karten für ein Soulkonzert im *Porgy & Bess* hatten. Judith: »Romy?« Gerd: »Ja, Romy. Seit dreizehn Tagen.« Judith: »Wenn ihr fünfzehn schafft, dann muss sie unbedingt mitkommen!«

Ilse, Roland, Lara, Valentin – alle hatten für Samstag ursprünglich was vor, aber nichts annähernd so Nettes, als sich von der offensichtlich genesenen und in Hochstimmung befindlichen Judith zum Wildgulasch-Essen einladen zu lassen. Das waren eben Freunde, die mochten sie wirklich gern, die standen auf Abruf bereit, wenn es galt, ihren Wiedereinstieg in die wunderschöne Banalität des Wochenendalltags zu feiern. Am nächsten Tag sagte auch noch Nina, die Tochter von *Musikhaus König*, zu. (Vielleicht war ja Gerd doch wieder Single.)

Und dann überkam Judith in ihrem Übermut plötzlich eine absurde Idee, die sie sich selbst noch vor ein paar Tagen niemals zugetraut hätte. Doch der Brief hatte alles auf den Kopf gestellt. Alleine der Umstand, dass sie es für denkmöglich hielt, Hannes ihre Wohnung betreten zu lassen, beflügelte sie. Es zeugte von Tollkühnheit, gab ihr ein gehöriges Stück Selbstachtung zurück – gerade darin hatte sie großen Aufholbedarf.

»Mein allergrößtes Anliegen, mein Lebenswunsch wäre es, dass wir Freunde werden könnten«, hatte er in seiner unnachahmlich pathetischen Art geschrieben. Nun gut, dieser Zug war wohl abgefahren, dafür war einfach zu viel Unerfreuliches geschehen. Aber warum sollte sie nicht diese kleine Geste der Versöhnlichkeit setzen? Warum nicht dem engen Freundeskreis zeigen, dass sie wieder fähig war, über ihren Schatten zu springen?

Dieser Schatten war in wenigen Tagen auf ein überschaubares Maß geschrumpft, er verfolgte sie nicht mehr, jagte ihr keine Angst mehr ein, dirigierte sie nicht mehr, führte sie nicht auf Irrwege, an den Rand des Abgrunds. War sie nun endgültig geheilt von ihrer dummen kleinen Krankheit oder Schwäche oder Krise oder wie auch immer »der Wurm« hieß, der in ihrem Kopf herumgeschlichen war? Sie brannte darauf, den Beweis anzutreten. Dazu brauchte sie – ihn.

»Hallo Hannes, am Samstag sind ein paar Freunde bei mir zum Essen eingeladen. Gerd mit seiner Neuen, Lara und Valentin, Ilse, Roland und Nina, eine Geschäftskollegin. Wenn du Lust hast, kannst du auch vorbeikommen.« Nein, den dritten Satz ihrer SMS-Mitteilung änderte sie: »Wenn du noch nichts vorhast, kannst du gerne kommen.« Dann noch: »Es gibt Wildgulasch. So gegen zwanzig Uhr geht's los.« (Die Freunde waren schon für neunzehn Uhr geladen.) Und: »Freundlicher Gruß, Judith.«

Nicht drei Minuten, sondern drei Stunden später kam die erfrischend kurze und sachliche Rückmeldung: »Hallo Judith, das ist nett. Komme gerne. Bis Samstag gegen acht. Lg, Hannes.«

5.

Erstens vertrugen sich die Tabletten bestimmt nicht mit Alkohol. Zweitens würde sie am Abend bestimmt Alkohol trinken (weil sie ja schon am Nachmittag damit begonnen hatte). Drittens brauchte sie keine Tabletten mehr, weil sie furchtlos war. Viertens hatte sie einen großartigen Spätoktobersamstag auf dem Wiener Naschmarkt, im Kaufhaus Hofer, daheim in ihrer Küche und, mit Kopfhörern im Ohr, auf der Wohnzimmercouch, im Licht ihrer glitzernden Goldregen-Lampe verbracht.

Die Neunzehn-Uhr-Gäste kamen pünktlich. Romy war eine quirlige Kolumbianerin mit Diana-Ross-Frisur nach einem Regenguss, die in Wien Stepptanz unterrichtete. Was noch viel exotischer anmutete: Gerd war Hals über Kopf in sie verliebt, so erlebte man ihn nur alle zehn, fünfzehn Jahre einmal. Erstaunlicherweise trug keines der beiden anderen Pärchen gerade offen ein Beziehungsproblem aus, und Nina fügte sich perfekt in die Gruppe ein. Ideale Voraussetzungen für Judith, der man die Hochstimmung sofort anmerkte, in distanzierter, selbstironischer Weise von ihrer »irren Zeit« zu erzählen. Besonders ausführlich schilderte sie die Szene, als der hübsche römische Fischer-Jüngling Chris um vier Uhr früh im Bett neben ihr feststellen musste, dass »jemand« ordentlich bei ihm angebissen hatte. Vor allem Nina konnte von den Details dieser Episode nicht genug kriegen.

Hannes wurde mit keinem Wort erwähnt. Mit ihm wollte Judith sie alle überraschen, er sollte ihr Trumpf, sein Erscheinen ihr Triumph werden. Aber er hatte bereits dreißig

Minuten Überzeit, und die Freunde erkundigten sich immer ungeduldiger nach der Befindlichkeit des Wildgulaschs. Knapp vor neun schickte er ihr ein SMS. Sie las es geheim in der Küche: »Liebe Judith, es tut mir leid, ich schaffe es heute nicht mehr. So viel Arbeit! Ein andermal gerne. Lass bitte alle herzlich von mir grüßen, Hannes.« So nüchtern die Botschaft, so trocken der Cognac danach.

An der Reaktion der Freunde bemerkte sie ihren sukzessiven Verfall. Ob alles okay mit ihr war? – »Doch, doch.« – Warum sie so lustlos in ihrem grandiosen Gourmet-Teller herumstocherte? – »Wahrscheinlich habe ich beim Kochen zu viel genascht, das alte Übel.« – Ob wirklich alles okay mit ihr war? – »Doch, wirklich, kann nur sein, dass ich ein bisschen zu viel Alkohol erwischt habe«, sagte sie und spülte ein Glas Cognac nach, um sicherzugehen.

Bis zum Schokodessert hielt sie es noch am Tisch aus und versuchte sie, bei den richtigen Stellen der Unterhaltung, die sie in Wortfetzen an sich vorbeiziehen lassen musste, mitzulachen. Danach bat sie, sich kurz auf die Couch legen zu dürfen, ihr war ein wenig schwindlig. »Judith, wenn wir gehen sollen, sag es uns bitte!«, sprach eine der drei Männerstimmen. »Nein, nein, ihr müsst unbedingt bleiben«, wehrte sie sich, »bleibt, solange ihr könnt. Ich freu mich, wenn ihr bei mir seid!«

Auf der Couch hatte sie die beruhigenden Laute eines gedämpften Gesprächs im Ohr. Ein paar Mal beugte sich jemand über sie. Einmal setzte sich eine der Frauen zu ihr und fragte, ob sie irgendetwas für sie tun könne. Konnte sie nicht. Später stülpte ihr jemand eine Decke über, hob ihren Kopf und ließ ihn in etwas kühlem Weichen versinken. Bald danach vernahm sie das Rücken von Stühlen und den Klang von Geschirr und Abwaschwasser. Gegen Ende zu hörte sie nur noch dünnes Brummen und ein paar müde S-Laute einer allgemeinen Verabschiedung. Das Licht wurde matter und matter, bevor es endgültig verschwand und die letzten friedlichen Geräusche im Raum mit sich nahm.

6.

Als sie sich auf den Rücken drehte, fand sie sich in ihrem Schlafzimmerbett. Wer glaubte, die Party war vorbei, unterschätzte ihre Hellhörigkeit und ihren wachen Verstand. Das Zeremoniell war ihr vertraut. Erst setzte Flüstern ein. Dann verteilten sich die blechernen Schwingungen im Raum, erklang die Fanfare. Der Hauptgast war eingetroffen. Er war nun doch noch gekommen. Als hätte sie es gewusst. Auf ihn war Verlass. Er würde sie nicht hängenlassen, er niemals. Das hatte er ihr versprochen.

Schön, seine Stimme zu hören. »Dieses Gedränge, dieses Gedränge, dieses Gedränge.« Das sagte er immer am Anfang. Es ging immer alles zurück zum Anfang. Damals, im Kaufhaus, da hatte er sie an der Ferse erwischt: »So was kann höllisch wehtun. So was kann höllisch wehtun. So was kann höllisch wehtun.« Sie hatte Schmerzen. Sie versuchte, nach ihrem Kopf zu greifen, aber sie konnte ihre Hände nicht bewegen.

Bleib ruhig liegen, Judith, und lass die Augen zu! Ich habe dir etwas mitgebracht, ein Geschenk für dich. Er hatte ihr etwas mitgebracht, ein Geschenk. Sie saßen um den Tisch, es war finster, es war schon tiefe Nacht. Die anderen waren gegangen. Nur sie zwei, nur ihre beiden Stimmen, seine Stimme. Du musst raten, was es ist. Sie musste raten.

Das war ein Klang, was für ein Klang! Der kam ihr bekannt vor, den kannte sie. Den kennst du, Judith, nicht wahr? Freust du dich? Sie freute sich. Dieses Spiel im Wind, dieses feine Klingen und Klirren. Stäbchen an Stäbchen, Kristall an Kristall. Ihr wertvollstes Stück. Aus Barcelona. »Ich hoffe, ich störe Sie nicht. Ich hoffe, ich störe Sie nicht. Ich hoffe, ich störe Sie nicht.« Da stand er erstmals bei ihr im Geschäft. Erinnerst du dich? Der Beginn der Geschichte, das strahlende Licht, die Stäbchen im Wind, als forderten Sternschnuppen einander zum Tanz auf. Das Versprechen an die Ewigkeit, unsere große Liebe. Wie klang sie? Wie leuchtete sie? Wie klingt sie? Hörst du? Lauter? Noch lauter? Noch heller? – Ihr Kopf!

Bleib ruhig liegen, Judith. Lass die Augen zu! Nicht öffnen! Wenn du sie öffnest, verscheuchst du die Lichter, verdrängst du den Klang. Wenn du sie öffnest, bist du allein, bist du im Schatten, bist du der Schatten. Alles um dich finster und stumm. Bleib. Bleib bei mir. Sie soll bei ihm bleiben.

Ihre Schulter stieß wuchtig gegen die Bettkante. Judith riss die Augen auf. Hannes? Wo war er? Scheiße. Ihr Kopf! Wo hing der spanische Kristallluster, wer hatte ihn zum Schwingen gebracht, woher waren die Klanggeräusche gekommen? Sie tastete sich zum Schalter. Die ganz normalen Sparlichter der Prager Schlafzimmerlampe gingen an, leuchteten den menschenleeren, stimmenlosen, schweigenden Raum aus.

Judith tastete sich ins Wohnzimmer. Hannes? Niemand

saß am Tisch. Der war abgeräumt. Keiner war mehr da. In der Küche stapelten sich abgewaschene Teller und Töpfe. Alles sauber. Sie wischte sich mit dem nassen T-Shirt den Schweiß von der Stirn. Ihre Beine zitterten. Sie taumelte zur Eingangstür, öffnete sie, machte das Ganglicht an. Da war niemand, keine Botschaft, kein Signal, toter Herr Schneider, lebloses Stiegenhaus. Sie verriegelte die Tür, schleppte sich in die Küche, danach ins Badezimmer, beugte sich übers Waschbecken, ließ kaltes Wasser über ihren Hinterkopf rinnen, nahm das Handtuch, rieb ihr nasses Haar.

Scheiße. Ihr Schädel dröhnte vom Alkohol. Sie nahm eine starke Kopfschmerztablette, spülte lauwarmes Wasser nach. Dann schluckte sie die Pille, die wie eine kleine Sanduhr aussah, und noch eine zweite, die gelbe – gegen den Wurm in der Hirnrinde. Und noch eine dritte, die ovale, damit sich der Wurm nicht vermehrte (wenn er es nicht schon getan hatte). Sie überlegte, ob sie den Notarzt rufen sollte. Doch worin bestand ihre Not? Dass ihr der Mann zur Stimme fehlte und der Luster zu dessen Klang? Gegen Argumentationsnot beim Darlegen von Nöten waren selbst Notärzte machtlos.

Sie gab sich eine Frist bis Tagesanbruch. An Schlafengehen war nicht zu denken. Sie beschloss, sinnvollen Beschäftigungen nachzugehen, bis es hell werden würde. Sie räumte das Geschirr ins Regal, so langsam sie konnte. Ein Teller fiel ihr aus der Hand, leider nur einer. Beim Suchen und Einsammeln der Scherben vergingen höchstens fünf Minuten.

Im Kopf ließ der Sturm langsam nach, und erste Nebelschwaden fielen ein. Judith schlich zurück ins Schlafzimmer, öffnete den wuchtigen Kleiderkasten und begann ihn zu leeren, schleuderte mit beiden Händen den gesamten Inhalt heraus, türmte Mäntel, Jacken, Pullover, Hemden, T-Shirts, Blusen, Hosen, Strümpfe und Unterwäsche zu einem riesigen Haufen. Dann begann sie, ihre Kleidung zusammenzulegen und wieder einzuräumen, von oben nach unten, Stück für Stück, Bug auf Bug. Nach einiger Zeit verzichteten ihre Hände auf Judiths Beteiligung und machten es allein.

7.

Einige sahen ihr von der Ferne zu. Sie standen auf dem Regal und hingen über der Kommode. Ganz normale Bilder aus der Kindheit, mochte man meinen, aber die Rahmen konnten sie nicht mehr halten. Den sie jetzt fixierte, der kam direkt auf sie zu. Er hatte große abstehende Ohren, dichtes schwarzes Haar und lange Wimpern. Komm, Ali, sagte sie, du kannst ruhig mithelfen, zu zweit haben wir den Kasten schnell eingeräumt, und dann gehen wir ins Kino.

Was meinst du? Komm näher, ich verstehe dich so schlecht. Bitte mach nicht so ein Gesicht wie sieben Tage Regenwetter. Du willst immer nur Verstecken spielen, seit du geboren bist, spielen wir Verstecken. Na gut, wenn es draußen hell ist, gehen wir in den Park. Du kannst dir schon einmal die Schuhe anziehen. Ich muss hier noch schnell fertigmachen.

Ja, ja, ja, Ali, du brauchst nicht so zu schreien, ich komme schon. Ich nehme noch schnell die Sonnenbrille. Ich setze den Hut auf. Ich brauche keine Jacke, Mama, ich verkühle mich nicht, mir ist heiß, nein, ich werde nicht krank. Ja, ich passe auf Ali auf! Hier ist sein Bild. Der Nagel bleibt da. Aber Ali kommt mit. Wir gehen ins Freie. Wir wollen nur ein bisschen spielen, Mama. Wir sind im Reithoferpark.

Ich stecke den Schlüssel ein. Ich öffne das Haustor. Draußen ist es schon hell. Bleib bei mir, Ali, lauf nicht vor. Pass auf die Leute auf, stoß sie nicht, remple sie nicht, das sind Räuber und Gendarmen, aber die spielen nicht, die meinen es ernst. »Und Sie lassen gefälligst Ali in Ruhe, das ist mein kleiner Bruder! Hier ist sein Bild.« »Schauen Sie nicht so böse!« »Und Sie rühren uns nicht an! Wir gehen in den Park!«

Da sind endlich die Bäume, die Bank ist besetzt, ich lege mich ins Gras, mir ist ein bisschen schwindlig von der frischen Luft, ich darf mich nicht abhetzen. Ali, wo bist du? Hast du dich versteckt? Spielst du schon? Komm her, Ali, ich muss mich noch ein bisschen ausruhen. Ich bin zu viel gelaufen, meine Beine sind müde.

Ali? Ali, komm her! Das ist nicht lustig. Du darfst nicht so lange im Versteck bleiben. Das ist kein Spiel mehr. Ali? Ali? Aaaaaaaaaaaaliiiiiiiiiiiii? »Entschuldigung, haben Sie meinen Bruder Ali gesehen?« »Nein, ich brauch keine Jacke, ich verkühl mich nicht, mir ist nur ein bisschen schwindlig, und ich hab meinen Bruder verloren.«

»Hallo, ihr da drüben. Ja seid ihr denn alle taub? Warum rennt ihr davon? Selber verrückt! Lauter Verrückte!« Mir ist schwindlig, mir ist schlecht. »Warum glotzt ihr so? Ich ruh mich nur ein bisschen aus.«

Den Mann kenne ich. »Hannes? Hannes? Bist du es? Dich schickt der Himmel!« »Danke, mir ist nicht kalt.« »Nein,

Hannes, aber ich weine nicht, ich habe Ali verloren. Du musst mir helfen … Du hast ihn gefunden? Und es geht ihm gut? Ist Mama sehr böse auf mich?« »Nein, ich reg mich nicht auf. Ich bin nur so glücklich, ich dank dir so sehr …« »Ja, das versprech ich. Bring mich nur weg von hier. Ich ertrag die Menschen hier nicht, wie sie glotzen. Nein, ich hab keine Angst vor einer Spritze …« »Ja, bitte bleib! Ich brauch dich! Du musst jetzt bei mir bleiben.«

Phase zwölf

1.

Das schmutzig-weiße Nachtkästchen gehörte zum Inventar einer Nervenheilanstalt, und in dem Bett daneben lag leider sie. – Judiths erste Erkenntnis auf dem Schaumgummi-boden der Wirklichkeit war so bedrückend, dass sie es vorzog, gleich wieder einzuschlafen, ganz im Sinne des Wirkstoffs ihrer Infusionen.

Ihr zweites, sehr viel späteres Erwachen war weder gut noch böse. Es war jenseitig. Aber vielleicht sollte sie langsam damit beginnen, die jenseitigen Dinge als die schicksalhaf-ten anzuerkennen und sich mit ihnen anzufreunden, statt sich andauernd gegen sie zur Wehr zu setzen. – Hannes. Ja, da saß tatsächlich Hannes, strahlte mittels der über-natürlich weißen Zähne seiner Großmutter übers ganze Gesicht, zwinkerte Judith kumpelhaft zu und holte sie damit aus ihrem medikamentös vorgezogenen Winterschlaf. Zur Verteidigung seiner Anwesenheit musste man sagen: Er schirmte Mama ab, die bereits Klagemauer-Position einge-nommen hatte und nur darauf wartete, dass Judith endlich ansprechbar war.

»Hallo, was machst DU da?«, hauchte Judith stimmlos und bemühte sich um einen mit Lächeln verschwägerten Gesichtsausdruck. »Ich habe dich gefunden«, sagte er mit unangebrachten Anflügen von Stolz und Faszination.

»Hannes hat dich vom Boden aufgeklaubt und ins Spital gebracht.« – Das war Mutters erdigere Version. Judith: »Aber wieso …« – »Reines Glück«, unterbrach er sie, dringend bedürftig, die Sache sofort aufzuklären: Er habe Sonntagvormittag mit Gerd telefoniert. Der hätte sich Sorgen gemacht, weil er sie nicht habe erreichen können, wo ihr doch am Vorabend, nach dem »schönen gemütlichen Essen, schade dass ich nicht dabei sein konnte«, plötzlich ziemlich übel geworden wäre. Er, Hannes, habe gerade Erledigungen in ihrer Wohnumgebung gehabt, da habe er Gerd vorgeschlagen, dass er es an ihrer Gegensprechanlage probieren würde, weil sie vielleicht bloß ihr Handy nicht hörte. In der Märzstraße, auf Höhe Reithoferpark, sei er dann auf eine kleine Menschenansammlung gestoßen. Und auf dem Gehsteig sei eine Frau gekauert, die so ausgesehen habe, als könnte sie Hilfe und Beistand gebrauchen. – »Und das warst du«, sagte er mehr entzückt als entsetzt. »So habe ich dich gefunden.«

Mutter: »Kind, was machst du …« Judith: »Mama, bitte, ich bin wirklich nicht in der Stimmung …« Mutter: »Du rennst da halbnackt auf der Straße herum, du hättest dir den Tod holen …« – »Judith, wir werden gleich wieder gehen und dich zur Ruhe kommen lassen«, beschwichtigte Hannes sie und legte ihrer Mutter die Hand auf die Schulter. »Wir wollten nur, dass du nicht alleine bist, wenn du aufwachst, weil du wissen sollst, dass immer wer für dich da ist, wenn es dir nicht gutgeht.« Ohne Mama anzuschauen, kannte Judith ihren Blick. Schon deshalb hätte sie Hannes niemals lieben können. »Das ist nett«, sagte sie. Da war er bereits aufgestanden, hatte Mama am Arm gepackt und winkte mit der linken Hand, wie nur er es tat: Es sah nie nach Verabschiedung aus, immer nach »herzlich willkommen zurück«.

Obwohl sie sich wie eine betäubte Stubenfliege fühlte, die vom weißen Neonlicht auf das Laken gedrückt wurde, wollte sie gleich danach mit der mühseligen Arbeit beginnen, die Geschehnisse der letzten Stunden, oder waren es Tage oder Wochen, zu rekonstruieren und zu ordnen. Da kam ihr eine zierliche Krankenschwester mit einer kleinen runden Brille dazwischen, prüfte die Messzahlen ein paar innerer Werte und zog dann eine Spritze auf, deren Inhalt Judith gleichgültig war – und wohl das Zeug dazu hatte, sie noch gleichgültiger zu machen. »Woher kommen Sie?«, hauchte die Patientin. »Philippinen«, sagte die Zarte. »Schade, dass wir nicht dort sein können«, flüsterte Judith. »Ach, ist viel zu heiß«, erwiderte die Schwester, »hier besser!«

2.

»Und ich hätte schwören können, dass ich Sie nie wiedersehe«, sagte Jessica Reimann, statt ihr die Hand zu reichen. »Ja, ich weiß, es tut mir leid, ist irgendwie blöd gelaufen«, erwiderte Judith. Es war ihr erstes Gespräch seit vier Tagen, und schon der Einstieg machte sie müde und mürb. Ihre Freunde hatte sie allesamt abgewiesen, so sehr genierte sie sich für ihren katastrophalen Absturz, so unerträglich war die Vorstellung, mit ihnen eine neue Spielrunde »Bald-sind-wir-wieder-ganz-normal« austragen zu müssen, nachdem sie soeben beim Betrug erwischt und brutal zum Start zurückgeworfen worden war.

»Wissen Sie wenigstens, warum Sie hier sind?«, fragte Reimann angenehm streng, wie man mit einem mündigen Menschen sprach, der dumme Sachen angestellt hatte. Judith: »Nicht genau, ehrlich gesagt.« Reimann: »Aber ich.« Sie nahm ein Stück Papier und einen Bleistift zur Hand. »Es ist eine einfache Milchmädchenrechnung.« Judith: »Oh je, im Rechnen war ich immer schlecht.« Reimann: »Keine Angst, Sie sagen nur an, ich ziehe die Bilanz.«

Die Psychiaterin wollte wissen, in welchem Zeitraum sie an jenem Samstag ungefähr welche Menge Alkohol in Form welcher Getränke zu sich genommen hatte, was und wie viel sie wann gegessen hatte, ferner, wann sie aufgehört hatte, welche der drei Tabletten zu schlucken, wann und mit welcher Dosis sie wieder eingestiegen war und welche und wie viele kopfschmerzstillende Pillen sie daruntergemischt hatte. Unter die Liste – es waren nur grobe Schätzungen, beim Alkohol hatte Judith sicherheitshalber nur die Hälfte der wahrscheinlichen Menge angegeben – machte Reimann einen dicken Strich und rekapitulierte: »Wenn man die Wechselwirkungen addiert und die Wirkzeiten berücksichtigt, gelangt man zu folgendem grafisch dargestellten Ergebnis.« – Dann malte sie einen smarten Totenkopf aufs Blatt, aus dem hübsche Rauchwolken stiegen. »Bei so einem Cocktail ist ein kleiner Irrlauf im Park noch das Friedfertigste, wozu der Mensch imstande ist«, meinte Reimann. »Da sehen Sie, was für ein friedlicher Mensch ich bin«, erwiderte Judith.

Anschließend musste sie die zweite Garnitur Bruchstücke ihrer Erinnerungen abliefern. Sie erzählte vom euphorischen Beginn des Abends mit ihren Freunden, ihrem plötzlichen Stimmungsabfall, der ruhigen Phase auf der Couch und ihren Angstzuständen im Bett. »Hervorgerufen durch?«, fragte Reimann. »Durch Stimmen und Geräusche, die so echt waren, dass …« Reimann: »Was für Geräusche?« – »Das Klirren eines Lusters, wenn die Kristalle einander berühren. Es war mein Lieblingsluster im Geschäft, und so einen Klang gibt es nur einmal.« – »Hm, spannend, einen klingenden Luster hat vor Ihnen noch kein Patient gehört«, sagte Reimann. »Und welche Stimmen waren es?« – Judith: »Äh, eher wieder so ein … Stimmenwirrwarr.« Sie schaffte es einfach nicht, von ihrem Hannes-Tick zu erzählen, so etwas Hirnrissiges konnte sie dieser hochintelligenten Person nicht zumuten.

»Ein Stimmenwirrwarr, aha«, sagte Reimann unbeeindruckt. »Und dann?« – »Dann hab ich Panik bekommen und Ihre Pillen geschluckt.« – »Verzeihung, es sind nicht MEINE Pillen. Ich bin nur leider auf sie angewiesen, ich komme ohne sie nicht aus. Das verbindet mich übrigens mit den meisten meiner Patienten. Und was haben die Tabletten bei Ihnen gemacht?« – »Sie haben gewirkt.« – »Das kann man behaupten. Und wie genau?« – »Ich war völlig benebelt und habe Geister gesehen. Die Familienfotos an der Wand haben plötzlich zu leben begonnen. Da war mein Bruder Ali, als wäre er echt. Ich habe mich an eine Situation aus der Kindheit erinnert. Es war wie ein Traum von früher, aber sehr real.« – »Wo fand dieser Traum statt?« – »In meinem Kopf.« – »Unter anderem. Aber leider auch auf offener Straße, wo Sie zahlreiche Passanten daran Anteil haben nehmen lassen.« – »Das weiß ich nicht mehr, hinter der Haustür setzt mein Gedächtnis aus.« – »Wo setzt es wieder ein?« – »Im

Spital.« – »Das ist spät!« – »Gerade noch früh genug, finde ich.« – »Auch wieder wahr. Es macht echt Spaß mit Ihnen!«, schloss Reimann. »Mit Ihnen ebenfalls«, erwiderte Judith. Beide meinten es übrigens ernst.

Dann stand die Ärztin auf, nahm Judith an den Schultern, holte tief Luft wie eine Turnerin vor der Übung auf dem Stufenbarren und setzte zur abschließenden Grundsatzerklärung an: »Sie sind eine untypische Patientin, weil Sie in der Situation, in der Sie sich befinden, selbstironisch sein können, das passt nicht zum Krankheitsbild. Und Sie sind eine eigenwillige Patientin, Sie lassen sich nicht gerne helfen. Sie haben einen komplizierten Knoten im Kopf, aber da darf offenbar niemand anderer ran. Ich möchte Ihnen wenigstens einen simplen Gebrauchshinweis zum Öffnen mit auf den Weg geben: Suchen Sie den Anfang! Gehen Sie dorthin zurück, wo Ihr Problem begonnen hat. Meine hochgeschätzten Kolleginnen und Kollegen von der Psychotherapie werden Ihnen gerne behilflich sein. Ohne Beistand lasse ich Sie nämlich nicht mehr ins Freie.« Judith fiel kein besseres Wort als keines ein, also nickte sie.

»Und bitteschön«, rief ihr Reimann am Gang nach, »nehmen Sie nach der Entlassung Ihre Tabletten, nicht meine, sondern IHRE, und zwar täglich und genau in der Dosierung, auf die Sie eingestellt werden. Sonst folgt bald Teil drei Ihrer ferngesteuerten Abenteuerexpeditionen.«

3.

Seit er mit Mama ihr Anstaltsbett gehütet hatte, fürchtete sie sich nicht mehr vor ihm – sondern vor sich selbst, was auch nicht viel angenehmer war. Hannes diente lediglich als Projektionsfläche ihrer kranken Gedanken, und war er einmal endgültig verschwunden, lauerte wohl schon ein würdiger Nachfolger ums Eck. Der »Wurm« in ihrem Kopf war offensichtlich zu einem faustdicken Knoten verwachsen, der sich von Nacht zu Nacht fester zuzog. Wie sollte sie jemals zum Ursprung ihres Übels zurückfinden, zum Anfang des Fadens, der sich verfangen, zum Beginn der Strecke, auf der sie sich verrannt hatte?

Am besten fühlte sie sich immer dann, wenn die Resignation über ihren Zustand in Apathie übergegangen war, wofür das Personal hier zum Glück alle Mittel in der Hand hatte. Je mehr sich Ärzte und Schwestern über ihren miesen Krankheitsverlauf sorgten, desto ruhiger wurde sie. Denn es bedeutete, dass sie noch länger auf der Station verweilen dürfen würde. Einen besseren Schutz vor sich selbst kannte sie nicht.

Nach einigen Tagen empfing sie in ihrem kleinen weißen Einzelapartment, dessen karges Interieur von einem ausgehungerten Philodendron überwacht wurde, auch wieder Besucher, Gerd und alle anderen, die unverwüstlich an der Auferstehung ihrer alten Judith festhielten. Zumindest spielten sie diese Rolle von Mal zu Mal professioneller, und die Patientin dankte es ihnen mit einem Lächeln, das hoffentlich weniger gequält aussah, als es sich anfühlte.

Die Nächte in der Klinik verliefen unspektakulär, wenngleich ihr der Tiefschlaf im Nachhinein, beim Erwachen, immer ein wenig gekünstelt erschien, aber immerhin hatte man den Stimmen damit eine durchgängige stationäre Schweigepause verordnet. Nur der Kristallluster aus Barcelona kam ihr mehrmals in den Sinn. Und irgendwann fiel ihr auch wieder ein, wie die Kundin geheißen haben soll, die diesen Schatz an sich gerissen hatte: Isabella Permason. Wieso bildete sie sich ein, diesen Namen schon einmal gehört oder gelesen zu haben? – Da dies ihr vorerst letztes Rätsel war, dachte sie gerne daran. Danach freute sie sich stets ein bisschen, wieder nicht dahintergekommen zu sein. Denn in ihren kurzen Isabella-Permason-Nachdenk-Phasen spürte sie, dass in ihrem Kopf wenigstens noch irgendetwas arbeitete. Der große Rest war geistige Stilllegung auf niedrigem Niveau, nicht höher als die Matratze ihres Anstaltsbetts, das sie am liebsten niemals mehr verlassen wollte.

4.

Der erste grelle Lichtblick in der milchglasigen Naturtrübe ihres Patientendaseins war Bianca. »Mädel, du bist das strahlende Leben«, schwärmte Judith im Tonfall einer Urgroßmutter am Sterbebett. »Sie, ehrlich gestanden, leider nicht, Chefin«, erwiderte Bianca. »Sie schauen abgekämpft und fertig aus. Meiner Meinung nach müssen Sie volle dringend zumindest an die frische Luft. Und dann zum Friseur.«

Dabei war ihr Lehrmädchen keineswegs zu beneiden, denn Judiths Mutter kümmerte sich in ihrer Abwesenheit um die Geschäfte. »Ist es sehr schwierig mit ihr?«, fragte Judith. »Aber nein, gar nicht«, sagte Bianca, »Ihre Mama ist in vielen Dingen eh so ähnlich wie Sie.« – »Noch so ein Kompliment, und du kannst gleich wieder gehen.«

Später kam die Sprache auf Hannes. »Dem Basti und mir ist nämlich etwas aufgefallen«, sagte Bianca. »Nein, Bianca«, erwiderte Judith, »ich will das nicht mehr. Hört bitte auf, ihn zu beobachten, das ist eigentlich unfair.« Judith erzählte ihr, dass Hannes es war, der sie gefunden und ins Spital gebracht hatte, und dass er immerhin derjenige ihrer Freunde war, der ihr Krankenbett gehütet hatte, als sie aufwachte. – »Ja, das weiß ich von Ihrer Mama«, sagte Bianca, »die schwärmt ja mega von ihm, ich glaub, sie ist sogar ein bisschen verknallt, aber bitte, warum auch nicht, vom Altersunterschied her ist das zwar komisch, aber egal, weil Madonna zum Beispiel oder Demi Moore …« – »Jedenfalls jagt er mir keinen Schrecken mehr ein, und das ist in meinem Zustand das Wichtigste«, sagte Judith. Bianca fragte: »Darf ich trotzdem erzählen, was Basti aufgefallen ist? Ich bin so stolz auf ihn, er wird einmal ein richtiger Detektiv, vielleicht ist er dann auch der Held in einer Filmserie.«

Dann folgte Biancas detailfreudige Abhandlung über die leuchtenden Würfel: »Immer wenn jemand am Abend, wenn es schon dunkel ist, das Haus betritt, wo Ihr Hannes, also Ihr Ex-Hannes wohnt, leuchten fünf Würfel übereinander – das sind die Stiegenhauslichter, sagt der Basti. Dann muss man eine Weile warten. Und dann leuchtet irgendwo anders ein Würfel. Muss man länger warten, leuchtet der Würfel sehr weit oben, sagen wir im fünften Stock. Muss man nur kurz warten, leuchtet er, sagen wir, im Erdgeschoss oder höchstens im ersten Stock, sagt der Basti. Weil alle, die dort wohnen, haben ein Fenster zur Straße. Manche Würfel leuchten hell, da ist das Licht, das jemand aufdreht, wenn er bei der Tür reinkommt, sehr nahe beim Fenster. Und manche Würfel leuchten nur ein bisschen, da ist das Fenster vom Eingang weiter weg. Aber alle leuchten. Und danach leuchten meistens auch noch andere Würfel daneben, das ist dann vielleicht die Küche oder das Wohnzimmer oder das Schlafzimmer, wo jemand das Licht aufgedreht hat. Aber irgendein Würfel muss immer leuchten, wenn jemand heimkommt, sagt der Basti. Außer er leuchtet schon vorher, dann war schon wer anderer zu Hause. Logisch, oder?« Judith: »Logisch.«

Bianca: »Der Hannes, also unser Objekt, hat seine Würfel im vierten Stock, es sind die Würfel sieben und acht, das hat der Basti megagenau ausgerechnet. Und jetzt passen Sie auf, Frau Chefin! Immer wenn der Herr Hannes am Abend das Haus betritt, leuchten, wie bei allen anderen, die fünf Würfel übereinander. Da hat er das Ganglicht aufgedreht, alles ganz normal. Und dann schaut der Basti auf die Würfel sieben und acht im vierten Stock. Er wartet zehn Sekunden, dreißig Sekunden, eine Minute, zwei Minuten – nichts. Fünf Minuten – noch immer nichts. Zehn Minuten – noch immer nichts. Fünfzehn Minuten …« – »Noch immer nichts«, murmelte Judith.

Bianca: »Ja genau! Basti sagt, da kann er warten, bis er schwarz wird, Würfel sieben und acht im vierten Stock leuchten niemals. Das hat er beobachtet. Schon interessant, oder? Das heißt nämlich nichts anderes, als dass der Herr

Hannes kein Licht aufdreht, wenn er in seine Wohnung kommt, und er dreht es auch später nicht auf, er dreht es nämlich überhaupt nie auf. Er ist praktisch immer volle im Dunkeln. Das ist schon spannend, oder?« Judith: »Schon.« Bianca: »Weil die Stiegenhauslichter dreht er ja schon auf. Also ist er an sich nicht lichtscheu, nur in seiner Wohnung halt, da hat er es immer finster. Verstehen Sie das, Chefin?« – »Nein«, erwiderte Judith, wobei sie für sich behielt, dass sie es auch gar nicht verstehen wollte, und hätte sie es verstehen wollen, dann wäre die Lösung bestimmt banal gewesen, vielleicht waren bei Hannes einfach die Glühbirnen kaputt.

»Alle Achtung, das hat Basti wirklich gut beobachtet«, sagte sie. »Und jetzt hören wir auf damit und lassen den Herrn Hannes in Ruhe, okay?« – »Okay«, sagte Bianca. »Schade eigentlich, da gibt es sicher noch mehr Geheimnisse. Aber wenn Sie keine Angst mehr vor ihm haben und er Sie nicht mehr belästigt, dann ist es natürlich sinnlos.«

5.

Nach zwei Wochen hieß es, sie dürfe die Klinik verlassen, weil ihr Schub theoretisch längst abgeklungen sein musste, und über die Praxis bestimmten ohnehin die Medikamente. In Wahrheit wurden vermutlich freie Betten für frische Psychos benötigt, zu Allerheiligen wurde es auf den Akutstationen traditionsgemäß nämlich immer extrem eng. Judith wollte bei Jessica Reimann ein Veto gegen ihre Abschiebung einlegen, aber die befand sich gerade auf einem Psychiatriekongress in den Alpen – nicht nur Patienten brauchten ab und zu frische Höhenluft.

Übers Wochenende ließ man Judith noch einmal Anstaltskost und -logis genießen. Am Montag holte Mama sie ab, um sie nach Hause zu bringen. War da nicht einmal ein amerikanischer Amokläufer, der als Begründung für sein Massaker angab, Montage nicht zu mögen? Die starken Tabletten – darunter auch eine neue weiße Einheit gegen Depressionen – hatten sich zum Glück so gut auf sie eingestellt, dass sie ihre Mutter nur in abgeschwächter, konturenloser und auch im Tonfall des Leidens und Mitleidens gemäßigter Form wahrnahm.

Daheim, in diesen unheimlichen Räumen, in denen Stimmen und Geräusche nisteten, verkroch sich Judith sofort unter der Couchdecke. Mama beschäftigte sich eine Weile mit Staubsaugen, -wischen und -aufwühlen, servierte ihrer Tochter dann als Zeichen, wie schlecht es um sie bestellt war, eine Tasse ungezuckerten Kräutertee ans Sofa und warf die durchaus berechtigte Frage auf, wie denn das alles weitergehen solle mit ihr. Judith: »Keine Ahnung, Mama. Ich bin eigentlich nur müde.« Mama: »Man kann dich in diesem Zustand unmöglich alleine lassen.« Judith: »Doch, das kann man, ich will ohnehin nur schlafen.« Mama: »Du brauchst wen, der sich um dich kümmert.« Judith: »Ich brauche nur wen, der mich schlafen lässt.« Mama: »Ich werde bei dir einziehen.« – Judith: »Sag nicht solche Sachen, du weißt, dass ich psychisch labil bin.« – Mama: »Heute bleibe ich bei dir, und morgen reden wir weiter.« Judith: »Okay, Mama, gute Nacht.« – »Mama: »Es ist vier Uhr nachmittags. Träumst du, Kind?«

Phase dreizehn

1.

In den folgenden Wochen war nicht an Arbeit zu denken. Es war auch sonst an kaum etwas zu denken. Judith musste nur morgens, mittags und abends ihre Psychopharmaka nehmen, das war sie ihren Freunden im Betreuerstatus, der Mama, der Schulmedizin und wohl auch ein bisschen sich selbst schuldig. Von den weißen Pillen schluckte sie meistens eine mehr als vorgesehen, erstens weil sie wirklich extrem klein waren, und zweitens fühlten sich ihre schlaffen Gehirnzellen danach so an, als würden sie bei vierzig Grad Außentemperatur in einem Gebirgsbach baden.

Zu den zahlreichen sinnvollen Untätigkeiten daheim zählten von nun an auch je drei Wochenstunden mit Arthur Schweighofer, einem überaus sympathischen, relativ gutaussehenden, lässig gekleideten und überdies ledigen Psychotherapeuten, den Gerd für sie organisiert hatte. Seine Geduld, mit ihr über alles zu reden, nur nicht über sie und ihre allfälligen Probleme, von denen ohnehin keiner Genaueres wusste, war beeindruckend. Sollte sich ihr Knoten im Hirn doch noch irgendwann lockern oder gar lösen, was freilich eher unwahrscheinlich war, so wollte sie mit Arthur vielleicht eine kleine Weltumsegelung machen, er war nämlich ein echter Abenteurer, wenn man ihm so zuhörte. Und das machte sie vergleichsweise noch am liebsten und oft stundenlang ausschließlich: zu-hören.

Damit sie es zu Hause aushielt, musste spätestens bei Ein-bruch der Dunkelheit jemand anwesend sein. Am Anfang wechselten sich die Freunde ab, für Lara zum Beispiel war der Dienstag gut, denn das war der Bowling-Abend von Valentin, und sie konnte nach Mitternacht im Bett ohnehin kein schnapsversetztes Bier mehr riechen, also schlief sie bei Judith und wachte, natürlich ohne es zu wissen, über deren Stimmen.

An den Wochenenden war durchgehend mit Mama zu rechnen. Da stieg Judiths Konsum an weißen Tabletten automatisch an. Mama bemühte sich zwar, ihre Anwesen-heit wie Betriebsurlaub bei der geliebten Tochter wirken zu lassen, aber aus der Krümmung ihres Mundes und den furchigen Ausrufezeichen über ihrer Stirn ließ sich stets das Eingeständnis herauslesen, dass sie mit ihrer Erziehung ge-scheitert war, dass sie statt des verdienten Ruhestandes jetzt ein ödes Lampengeschäft und ein verrücktes erwachsenes Kind zu betreuen hatte.

Nur für wenige Augenblicke am Tag gelang es Judith, ihr Gehirn in Betrieb zu nehmen und sich mit ihrer Situation zu beschäftigen. Da klammerte sie sich an den Appell von Jessica Reimann, sie müsse zum Grund allen Übels vorsto-ßen, müsse den Anfang der Schnur finden, um den Knoten öffnen zu können. Schnell verfing sie sich da aber im Netz von Kindheitserinnerungen und Pubertätserscheinungen, brach ihre Suche wegen Überhitzung ihrer Gehirnzellen sofort wieder ab – und nahm ein Bad im Gebirgsbach.

2.

In ihrer Beziehung zu ihm hatte sich der oftmals ange-
kündigte Sprung endgültig vollzogen. Hannes war nun
eindeutig auf ihrer Seite. Ein paar Mal hatte er via SMS
schüchtern bei ihr angeklopft und seine Hilfe angeboten.
– Und, nein, Judith hatte nichts dagegen, dass er sie jetzt
regelmäßig besuchte, nicht nur, weil sie prinzipiell nichts
mehr gegen irgendetwas hatte, auch nicht nur deshalb, weil
er am liebsten am Wochenende kam, wenn Mama da war,
die er perfekt zu neutralisieren wusste, sondern weil ihr,
Judith, seine Anwesenheit auf alternativmedizinische Art
und Weise richtig guttat.

Viel verstand sie ja nicht von Homöopathie, aber ging
es dabei nicht darum, Gesundheit mit kleinen Dosen jener
Wirkstoffe zu erzielen, die einen krank gemacht hatten? Und
Hannes war nun einmal exakt mit der gleichen Stimme ausgestattet wie jene surreale Erscheinung, die Judith nächtens
wiederholt in den Wahnsinn getrieben hatte. Wenn sie ihn
nun real für Mama in der Küche über Raumplanung, Statik,
Baumaterialien und Kaffeemaschinen-Design referieren
hörte, so waren Judiths Geister vertrieben und die Dinge
wieder so halbwegs im rechten Lot. Außerdem verfügte der
echte Hannes über einen anspruchsvolleren Wortschatz als
sein gespenstisches Duplikat, welches ihr ja stets nur drei
oder vier Phrasen ins Hirn gedroschen hatte.

Im Umgang mit ihr, der Patientin, war er von allen
Freunden und Besuchern der mit Abstand gewandteste und
lockerste. Er war immerzu gutgelaunt, konnte sich mühelos

auf ihr kompliziertes Gemüt, den sprunghaften Wechsel von Hoch- und Tief-, von Lethargie- und Wach-Phasen einstellen. Nie schwang bei ihm der leiseste Ton eines Vorwurfs mit, in welch miserablen Zustand sie geraten war, wie schwer an sie heranzukommen war, wie wenig sie von sich hergeben konnte.

Während Gerd und die anderen größte Mühe hatten und oft daran scheiterten, ihre Verzweiflung über Judiths Teilnahmslosigkeit zu verbergen, schien das für Hannes die selbstverständlichste Sache der Welt zu sein. Er nahm Judith tatsächlich so, wie sie war, so wenig »sie selbst« konnte sie gar nicht sein. In seiner Gegenwart schämte sie sich nicht für ihre Krankheit und hatte kein schlechtes Gewissen, auf fremde Hilfe angewiesen zu sein. Wenn er da war, begann sie sich mit ihrem Schicksal abzufinden, nein, mehr noch – anzufreunden.

3.

Bald schaute er auch werktags öfter bei ihr vorbei. Meistens sprang er für einen der Freunde ein, die zunehmend verhindert waren und bereits Mitte November den Vorweihnachtsstress ausriefen, um Judith leider nicht mehr so oft besuchen zu können. Wahrscheinlich waren sie über alle Maßen enttäuscht und genervt, dass Judiths Geist keine Anstalten machte, heller zu werden, dass es keine Gespräche mehr mit ihr gab, dass sie oft stundenlang die Wände anstarrte und den Mund nicht aufmachte. Aber was sollte sie ihnen erzählen? Sie erlebte ja nichts außer leeren Tagen und hohlen Nächten. Keiner von ihnen konnte sich vorstellen, wie anstrengend das war. Dann auch noch darüber reden?

Hannes war anders. Er verlangte nichts von ihr, sondern ging seinen eigenen Beschäftigungen nach, dekorierte Tische und Regale, putzte die Küche (am liebsten, wenn sie ohnehin sauber war), hörte Musik, pfiff Ohrwürmer, die man noch aus der Schulzeit kannte, surfte durch die TV-Kanäle auf der Suche nach seriösen Nachrichtensendungen, blätterte in Sachbüchern oder – noch lieber – in ihren Fotoalben, machte sich Notizen und Skizzen, fertigte kleine Entwürfe an. Dies alles, ohne Judith jemals aus dem Augenwinkel zu verlieren. Er hielt sich immer in ihrer Nähe auf, zwinkerte ihr stets aufmunternd zu, lächelte sie an. Aber, und hier unterschied er sich auf angenehmste Weise von allen anderen: Er sprach kaum ein Wort mit ihr, ersparte ihr somit auch die Mühsal einer ständigen Antwort auf die Frage, wie es ihr ging. Er wusste es offenbar besser als sie selbst.

Wenn er über Nacht blieb, merkte sie nichts davon. Vermutlich schlief er auf der Couch. Jedenfalls war er immer schon vor ihr wach, ließ es aus der Küche nach Kaffee duften und hatte alle Spuren seiner nächtlichen Anwesenheit beseitigt.

Nur in einer dieser in dichten Kopfnebel gehüllten Novembernächte gerieten ihr die Dinge außer Kontrolle. Möglicherweise hatte sie am Abend eines ihrer Medikamente vergessen oder eines doppelt genommen. Vielleicht war sie auch in einen Albtraum geschlittert, der sie plötzlich aus dem wattebauschigen Dämmerzustand riss und in ihr die alten Ängste wachrüttelte, sie werde von Stimmen und Geräuschen verfolgt und auf die Straße getrieben. Schon glaubte sie, das charakteristische Schwingen der Blechplatten und das einzigartige Klirren der Kristalle ihres spanischen Lusters zu vernehmen. Doch bevor die Stimme, die Hannes imitierte, »dieses Gedränge« sagen konnte, verstummten die Geräusche. Das Nachtkästchenlicht ging an. Judith spürte, wie sich eine große kühle Hand auf ihre fiebrig-heiße Stirn legte. Dann beugte er sich behutsam über sie und flüsterte: »Beruhige dich, mein Liebling. Alles ist gut, ich bin bei dir, es kann dir nichts geschehen.« – »Hast du es auch gehört?«, fragte sie, bebend vor Angst. »Nein«, erwiderte er, »ich habe nichts gehört. Wahrscheinlich hast du schlecht geträumt.« Judith: »Bleibst du hier bei mir, bis es hell wird?« Hannes: »Willst du das?« Judith: »Ja, bitte bleib. Nur bis die Sonne aufgeht.«

4.

Ende November hatte sie ihren mit Bangen erwarteten Untersuchungstermin bei Jessica Reimann. Mama begleitete sie, aber das konnte die Sache auch nicht mehr schlimmer machen. Judith hatte Waschzeug, Kosmetika, ein paar Nachthemden und T-Shirts eingepackt. Sie rechnete damit, dass man sie gleich im Spital behalten würde. Jedenfalls hatte sie keine Lust, ihre Situation besser darzustellen, als sie war, auch wenn sich Reimann einen anderen Anblick verdient hätte als jenen, den sie ihr sogleich bieten würde.

»Hallo, wie geht es Ihnen?«, fragte die Ärztin. »Danke,

ich bin geisteskrank«, erwiderte Judith. Reimann lachte, aber diesmal täuschte sie die Erheiterung nur vor und fragte, wovor Judith sich fürchtete, weil sie so zitterte. Judith: »Momentan vor Ihnen.« Reimann: »Das kann ich Ihnen nachfühlen, meine Liebe. Sie lassen sich ja ordentlich gehen!« Judith: »Ich weiß, aber ich kann nichts dagegen tun. Am besten, Sie weisen mich wieder in die Anstalt ein.« Reimann: »Nein, nein, das bringt uns hier gar nicht weiter. Ich schlage vor, jetzt wird einmal gearbeitet!«

Judith musste, nachdem sie an Puls und Herz gemessen und unter den Augenlidern ausgeleuchtet worden war, ihre Dös- und Dämmerzustände der vergangenen Wochen beschreiben, noch dazu zyklisch, morgens, mittags, abends, nachts – ein mehr als aufreibendes Unterfangen, denn eigentlich gab es nur jene Worte dafür, die ihr seit geraumer Zeit fehlten. Zur Belohnung setzte Reimann gleich einmal zwei der Medikamente ab, und bei den anderen, darunter ihre weiße Lieblingspille, ging sie mit der Dosierung auf die Hälfte zurück.

»Ich vermisse bei Ihnen den Kampfgeist«, sagte die Psychiaterin sorgenvoll und drückte fest ihre Hand. »Sie müssen sich aufbäumen. Ihre Gesundheit ist eine reine Kopfdisziplin. Sie müssen denken und an sich arbeiten, nicht verdrängen. Sie müssen zum Kern Ihres Problems vordringen.«

Judith: »Ich habe kein Problem mehr, ich BIN das Problem.« Das hätte sie nicht sagen sollen, jetzt war Reimann beleidigt. »Wenn sich bereits Patienten wie Sie aufgeben, können wir hier zusperren. Wie sollen wir denen helfen, die wirklich schwerkrank sind?« – »Sie glauben also nicht, dass ich schwerkrank bin?«, fragte Judith. »Ich sehe nur, dass Sie es offenbar um jeden Preis werden wollen und deshalb schon auf dem besten Weg dazu sind«, erwiderte Reimann. »Und so was mit ansehen zu müssen macht MICH krank!«

5.

Zwei Tage probierte sie es ohne Tabletten und versuchte sie, ihr Vakuum im Kopf mit Gedanken über den Ursprung ihrer Probleme zu füllen. So ähnlich mussten sich Heroinsüchtige im Übergang von Entzug auf wiedergewonnene Sinnkrise fühlen. Wenn sie sich einbildete, gar nicht schwerkrank zu sein, was nun in immer kürzeren Intervallen geschah, ging es ihr postwendend schlechter. Es war mit der tristen Aussicht verbunden, plötzlich wieder alleine dazustehen. Keiner würde sich mehr um sie kümmern. Nicht einmal ihre Mama hätte die verpflichtende Berechtigung, für sie da zu sein und sie anzujammern.

In der Therapiestunde gab sie sich einen Ruck und erzählte Arthur Schweighofer von ihrem irren nächtlichen Klangerlebnis, ausgelöst durch einen spanischen Kristallluster. Dank Sigmund Freud war er fest davon überzeugt, dass sich in ihrer Kindheit im Lampengeschäft unbewusste dramatische Szenen abgespielt haben mussten. Eine Weile dachten sie beide nach und betrieben angestrengt Brainstorming, dann gelang es Judith, das Gespräch langsam wieder in Richtung Abenteuerurlaub und Segelschein zu lenken.

In der ersten der beiden schlaflosen Nächte hatte Mama auf sie aufgepasst beziehungsweise umgekehrt: Judith hatte aufgepasst, dass Mama nicht wach wurde und sie fragte, warum sie nicht schlief. Am zweiten Abend hätte Hannes kommen sollen. Aber bereits am Nachmittag kündigte er an, dass es später werden würde. Und gegen neun Uhr sagte er endgültig ab: Es täte ihm schrecklich leid, aber eine Kollegin wäre erkrankt, und er müsste das von ihr betreute Projekt bis zum nächsten Morgen, dem Ende der Einreichungsfrist, fertigstellen.

Bis Mitternacht ging Judith in ihrer Wohnung auf und ab, schaltete alle Lichter an, drehte – um allfällige irreale Geräusche und Stimmen zu übertönen – Radio, Fernsehen und sogar die leere Waschmaschine auf, las sich selbst laut aus »Das Wetter ist schön, das Leben auch« von Anna Gavalda vor und summte Weihnachtslieder. Danach war sie so weit vom Schlaf entfernt und so nahe am Abgrund der nächsten heftigen Angstattacke, dass sie sofort entweder ihre Mutter oder den Notarzt oder beide anrufen musste. Oder – und für diese Variante entschied sie sich schließlich – sie nahm wieder ihre Tabletten in altbewährter Dosis, zuerst die weißen gegen die tiefe Traurigkeit, dann die restlichen zum Anlegen der Ritterrüstung, für die rettende Müdigkeit und für die erlösende Leere in ihrem Gehirn, die sie endlich in den Schlaf gleiten lassen würde.

6.

Als sie am nächsten oder übernächsten Tag von ihrem schlechten Gewissen aufgeweckt wurde, hörte sie Stimmen, die zur Wirklichkeit gehörten und aus der Küche kamen.

Mama und Hannes unterhielten sich über ihre Zukunft. »Das würdest du tatsächlich für uns tun?«, sagte Mama gerührt wie in der Schwiegermutter-Schlussszene eines Heimatfilms. »Natürlich, du weißt, ich liebe sie und ich werde sie nie im Stich lassen«, erwiderte Hannes, ganz der Förster vom Silberwald. Danach folgten eher technische und organisatorische Details zu der bevorstehenden Versorgung und Betreuung der Langzeitpatientin Judith daheim.

Auf ihrem Kästchen neben dem Bett wartete am Fuße einer halb gefüllten Wasserkaraffe bereits die nächste Serie von Pillen auf sie, appetitlich in Reih und Glied geschlichtet, einladend wie die bunten Augen eines Sieg versprechenden Sechserwürfels.

Die weißen Tabletten lagen bereits auf ihrer Zunge, als ihr trüb im Raum umherschweifender Blick an einer prall gefüllten Obstschüssel hängen blieb, die man ihr auf die Kommode beim Eingang zum Schlafzimmer gestellt hatte. Instinktiv holte sie sich die Pillen aus der Mundhöhle und versenkte sie in der Bettdecke. Denn plötzlich spürte sie, dass in ihrem Gehirn etwas zu arbeiten begann. Auf rötlichen runden Früchten – Äpfeln, Birnen, Pflaumen – thronte eine große gelbe Masse, die wuchtige Staude von mindestens acht formschön gekrümmten Bananen, die sie zunächst einmal als absurden Fremdkörper wahrnahm. Denn Judith verabscheute Bananen, sie verband damit Durchfallserkrankungen im Vorschulalter, als ihr diese Dinger, mit Kakaopulver zu einem glitschigen braunen Brei verrührt, auf Riesenlöffeln in den Mund geschoben wurden. Der Geschmack klebte noch immer an ihrem Gaumen.

Je länger sie die Staude anstarrte, desto näher rückte ein

bestimmtes Bild. Es führte sie zurück in den Supermarkt, in die Osterzeit, vor nicht einmal sieben Monaten, als sie noch ein völlig normales Leben vor sich zu haben schien und als ihr ein damals fremder Mann auffiel, ein vermeintlicher Familienvater, in dessen Einkaufswagen genau der gleiche Klotz von Bananen lag wie jener, der nun auf ihrer Kommode gelandet war. – Da kamen ihr nun tatsächlich die Tränen. Echte, ehrliche nasse Tränen. Sie schärften ihre Sicht und reinigten ihren Blick. Hinter dieser gelben Staude von Früchten verbarg sich für sie ein Rätsel, das sie zu gern gelöst hätte. Und dieses bei möglichst klarem Verstand.

Phase vierzehn

1.

Die Tabletten warf sie ab sofort nun immer durch den brei-
ten Schlitz in den Bauch ihres dreißig Jahre alten rosa Plas-
tiksparschweins Specki, das sie unter den Sommer-T-Shirts
im Kleiderschrank versteckt hielt – für schlechte Zeiten,
man wusste ja nie, wie schnell sie wieder kommen würden.

Nach außen hin gab sie sich matt und desorientiert,
verbrachte die meiste Zeit im Bett oder auf der Couch,
machte seltsame Verrenkungen, bewegte sich auf ihren
Routinemärschen ins Bad oder auf die Toilette wie Dustin
Hofmann in »Rain Man«, murmelte unverständliches Zeug,
unterhielt sich angeregt mit sich selbst, oft sogar zu dritt, um
intellektuell nicht zu verblöden, starrte zur Entspannung
stundenlang ins Leere, zitterte dann plötzlich am ganzen
Körper und vergrub sich unter ihrer Decke – ein buntes,
abwechslungsreiches Programm aus dem Alltag einer psychisch unablässig auffälligen Person, das ihr umso mehr
Spaß machte, je sicherer sie war, dass Hannes nichts davon
entging.

Er war ein vorbildlicher Heimpfleger. Selbst in den Nächten, in denen er nun abwechselnd mit Mama Dienst versah,
war er zumindest mit einem Ohr immer bei ihr. Wenn er an
ihr Bett kam, stellte sie sich schlafend. Ein paar Mal strich er
ihr übers Haar und berührte ihre Wange. Manchmal hörte

sie ihn »Schlaf gut, mein Liebling« flüstern. Einige Male spürte sie seinen Atem und vernahm das Geräusch eines knapp über ihrem Gesicht in die Luft gesetzten Kusses. Diese flauen Momente überstand sie tapfer und geduldig. Näher kam er ihr nicht, mehr war von ihm nicht zu befürchten.

Die Abende verbrachten die beiden Pfleger gerne zu zweit, am liebsten in der Küche. Mama war sozusagen seine außerordentliche Architekturstudentin im ersten Semester, überdies ziemlich schwer von Begriff, was ihn zusätzlich motivierte. Er liebte es, den Laien die Welt zu erklären. Tagsüber war jederzeit mit seinem Erscheinen zu rechnen, und wenn er nur die eingekauften Lebensmittel vorbeibrachte und verstaute. Bananen waren übrigens immer dabei. Judith freute sich über jede diesbezügliche Lieferung und sprühte vor Ideen, wo sich dieses oder jenes Exemplar am unauffälligsten entsorgen ließ. Hin und wieder, wenn die Schale makellos gelb war, aß sie sogar eine Frucht – schmeckte eigentlich gar nicht so schlecht und fühlte sich im Magen angenehm rund an.

Wenn er außer Haus war, ließ sie sich von Bianca abholen, um sich die Beine zu vertreten, wie sie es offiziell nannte, und um ihre Lunge an den Winter zu gewöhnen. Mama, die das Lampengeschäft dann alleine hüten musste, akzeptierte diese Ausflüge nur unter Protest. Lieber hätte sie Hannes auch im Freien an der Seite der Patientin gesehen. Wähnten sich Judith und Bianca außer Sichtweite, kehrten sie in die nächstgelegene Konditorei ein, meistens auf echten koffeinhaltigen Cappuccino und fette Nougattorte. Danach wurde gearbeitet, ganz im Sinne von Jessica Reimann.

2.

Auch Bianca mochte keine Bananen. »Für mich wäre es die schlimmste Folter auf der Welt, wenn man mich in einen engen Raum ohne Fenster einsperrt, und zwar gemeinsam mit einer braunen Bananenschale. Ich glaube, ich tät durchdrehen«, sagte sie.

Judith erzählte ihr, was ihr bezüglich der Oster-Staude im Supermarkt in Erinnerung geblieben war. Es muss beim ersten Treffen im Café Rainer gewesen sein. Judith hatte ihn gefragt, ob er Familie hatte oder ob er die vielen Bananen, die bei ihrer ersten Begegnung in seinem Einkaufswagen gelegen waren, alle selber aß. Er hatte gelacht und inhaltlich etwa folgendermaßen geantwortet: Die Bananen waren für eine gehbehinderte Nachbarin bestimmt, eine Witwe mit drei Kindern. Ein- oder zweimal wöchentlich erledigte er Einkäufe für sie. Er machte das ohne Gegenleistung, weil auch er gerne Nachbarn hätte, die ihm helfen würden, wenn es ihm schlecht ging.

»Und?«, fragte Bianca nach einer Pause. »Nichts und, das war es schon«, erwiderte Judith. Bianca verzog das Gesicht. »Da habe ich mir jetzt, ehrlich gestanden, volle mehr erwartet, so aufgeregt, wie Sie waren. Was ist da so besonders an der Geschichte?« Judith: »Das Besondere ist, dass er nie wieder auch nur ein Sterbenswörtchen von der Nachbarin erzählt hat.« Bianca: »Okay, das ist komisch. Aber so spannend ist das wahrscheinlich auch nicht, wenn man für jemanden einkaufen geht. Ich meine, wenn man Schuhe einkaufen geht, dann ist das was anderes. Aber Lebensmittel? Was soll man da schon groß erzählen? Vielleicht kennt er die Frau selber nicht gut. Vielleicht bringt er nur die Bananen und die anderen Sachen und geht wieder. Vielleicht ist sie auch inzwischen übersiedelt. Oder gestorben. Da gibt es viele Möglichkeiten, Chefin. Aber wenn Sie wollen …« Judith: »Ich hab da so ein Gefühl, und es ist das erste dieser Gefühle seit langer Zeit. Könnte nicht dein Freund, der Basti, ein bisschen …« – »Na klar, Sie wissen ja, der macht so was urgern. Er kann ja sagen, er ist der neue Fahrradbote oder so.«

3.

Bastis Recherchen in der Anlage Nisslgasse 14 verliefen eher unbefriedigend. Einzig die serbische Hausbesorgerin im Erdgeschoss hatte sich als auskunftswillig erwiesen. Und die schloss aus, dass hier eine gehbehinderte Witwe mit drei Kindern lebte. Bianca: »Das weiß sie deshalb so genau, weil im ganzen Haus überhaupt keine Kinder wohnen, außer ihr eigenes Baby und dann noch eines im Bauch von der schwangeren Frau Holzer nebenan, die aber leider volle keine Witwe ist. Und sehr gehbehindert kann sie auch nicht sein, weil sie erst im Sommer den City-Marathon gelaufen ist, da war sie aber noch nicht schwanger, zumindest hat sie es noch nicht gewusst, weil wenn man schwanger ist und man läuft Marathon …« – »Ich versteh schon«, sagte Judith.

Bianca: »Sehr gut kennt sich die Hausbesorgerin mit den Mietern aber auch nicht aus. Das ist so ein Haus, hat sie dem Basti erzählt, wo keiner den anderen kennt, typisch wienerisch halt. Da riecht es dann irgendwann nach einer Leiche, und plötzlich weiß man erst, dass da wer gewohnt hat. Und dann liest man in der Zeitung, dass der, der gestorben ist, eher unauffällig war. Na sicher, sonst wäre er ja jemandem aufgefallen, oder?« – »Stimmt«, sagte Judith.

Bianca: »Sie hat auch zum Beispiel gar nicht gewusst, dass auf Tür Nummer 22 der Herr Bergtaler wohnt, weil sie nämlich gar nicht gewusst hat, wer das überhaupt sein soll. Wie der Basti ihn dann beschrieben hat, hat sie zu ihm gesagt, ah, das ist der nette Mann, der mir immer die Tür aufhält, der ist wenigstens freundlich und kann grüßen. Aber dass er auf Nummer 22 im vierten Stock wohnt, hat sie auch nicht gewusst. Sie hat geglaubt, die Wohnung steht volle leer.« – »Ah so«, sagte Judith.

Bianca: »Aber etwas ist dem Basti dann doch noch aufgefallen.« Judith: »Und zwar?« Bianca: »Er hat es mir leider noch nicht verraten, weil er gesagt hat, er muss noch genauer beobachten, ob das überhaupt stimmt. Aber wenn es stimmt, hat er gesagt, dann ist er ganz schön auf etwas draufgekommen.« Judith: »Da bin ich aber neugierig.« Bianca: »Ich auch, volle, Frau Chefin, das können Sie mir glauben.«

4.

Das Horrorjahr ging mit farb- und schneelosen Advent-tagen in die Schlussphase. Judith hatte ihre Verfolgungs-ängste zwar noch nicht restlos abgeschüttelt, aber sie wähnte sich ihnen wenigstens ein paar sichere Schritte voraus. Ohne

Einfluss der Tabletten stand sie wohl auf wackeligen Beinen, und ihr Nervenkostüm war äußerst filigran, doch ihre Gedanken kamen ihr deutlich klarer vor, und sie vermeinte zu spüren, wie sich der Knoten langsam lockerte. Sie musste jetzt nur an den richtigen Fäden ziehen.

Von ihrer schauspielerischen Leistung war sie selbst ziemlich beeindruckt. Intuitiv wusste sie, dass es besser war, daheim noch eine Weile die geistig Umnachtete zu mimen. Hannes hatte sie so oft getäuscht, jetzt war sie einmal an der Reihe. Seine Anwesenheit jagte ihr zudem keine Angst mehr ein. Noch fühlte sie sich ein wenig zu schwach, um das Leben im Alleingang zu meistern, wie früher. Aber sie freute sich schon auf den Augenblick, in dem sie ihm das prall gefüllte Sparschwein Specki in die Hand drücken und dazusagen würde: »Danke, mein lieber Pfleger. Nimm dies als Andenken an unsere zweite gemeinsame Zeit. Ich bin an mir selbst gesundet und kann dich hier leider nicht mehr gebrauchen.«

Inzwischen kündigte Hannes in den beliebten Küchengesprächen mit Mama bereits eine große Weihnachtsüberraschung an. Sie war selbstverständlich für Judith bestimmt, aber auch die Familie und die Freunde sollten freudig daran Anteil nehmen. Es war also vermutlich ein kleines Fest geplant. »Sie wird Augen machen«, hörte sie Hannes flüstern. »Ja wird sie das in ihrem Zustand überhaupt mitkriegen?«, fragte Mama gewohnt charmant. »Doch, doch«, erwiderte Hannes, »auch wenn sie es nach außen nicht zeigen kann – in ihrem Inneren empfindet sie genauso wie wir.«

5.

Am Hannes-kontrollfreien fünfzehnten Dezember – er war auswärts beschäftigt – ließ sie sich nachmittags von Bianca weit weg in die Konditorei Aida in der Thaliastraße führen, wo der unter starkem Glühbirnenlicht besonders rothaarig strahlende Basti schon auf sie wartete und aufgeregt an seiner winzigen Silberkugel über der Lippe drehte. »Sein Verdacht hat sich bestätigt«, sagte Bianca, in der binnen weniger Wochen eine Aspirantin für die Rolle einer neuen Tatort-Kommissarin herangereift war. Er nickte, und dies bei demonstrativ offenem Mund, ein sicheres Zeichen dafür, dass er das Wort kampflos und wohl für alle Zeiten seiner Freundin überlassen hatte.

»Erinnern Sie sich, was ich Ihnen im Spital von den leuchtenden Würfeln erzählt habe, Chefin?«, fragte Bianca. Ohne eine Antwort abzuwarten, fuhr sie fort: »Also immer, wenn es schon finster ist und wenn der Herr Hannes nach Hause kommt, dann leuchten die fünf Würfel übereinander, dann hat er nämlich, wie alle anderen, wenn sie heimkommen, die Ganglichter aufgedreht. Aber die zwei Würfel sieben und acht im vierten Stock leuchten niemals, weil er nämlich das Licht nicht aufdreht, wenn er in seine Wohnung kommt. Erinnern Sie sich?« – Judith: »Ja, dunkel.« Bianca: »Und jetzt passen Sie auf!« – Judith: »Ja.« Bianca: »Wir wissen nämlich, warum er das Licht nicht aufdreht.« Judith: »Warum nicht?« Bianca: »Dreimal dürfen Sie raten.« Judith: »Bitte, Bianca, ich will nicht raten, weder drei- noch zwei-, noch einmal!« – »Sag's endlich«, brummte

Basti. Bianca: »Er dreht das Licht nicht auf, weil er seine Wohnung nämlich gar nicht betritt, weil er nämlich volle nicht in seiner Wohnung wohnt.« – »Warum nicht?« – »Da muss ich ein bisschen ausholen.« – »Bianca, du machst mich wahnsinnig!«

Bianca: »Wie der Basti auf die Würfel sieben und acht gestarrt hat und wie sie nicht und nicht hell geworden sind, hat er bemerkt, dass der Würfel daneben, das ist der Würfel sechs, eigentlich immer geleuchtet hat, stimmt's, Basti?« Er nickte. Bianca: »Und der Würfel fünf, also wieder einer weiter nach links, hat auch geleuchtet, aber nicht so hell, weil den hat praktisch der Würfel sechs immer mitbeleuchtet, weil im Sechser hängt wahrscheinlich die Lampe.« Judith: »Okay, und?« Bianca: »Immer wenn der Herr Hannes das Haus betreten hat …« Judith: »Ja, die Ganglichter, das kennen wir schon. Bitte komm zum Punkt!« – »Seien Sie nicht so ungeduldig, Sie nehmen mir den ganzen Spaß!«, beschwerte sich das Lehrmädchen. »Komm, sag schon«, brummte Basti.

Bianca: »Also dem Basti ist irgendwann einmal aufgefallen, dass der Würfel fünf auf einmal heller geleuchtet hat als vorher, und zwar genau dann, wenn der Herr Hannes nach Hause gekommen ist. Zuerst hat er natürlich geglaubt, das ist ein Megazufall. Aber immer wenn …« Judith: »Hannes nach Hause gekommen ist …« Bianca: »Genau, Chefin. Dann hat der Würfel fünf auf einmal heller geleuchtet. Und zwar hundertprozentig sicher deshalb, weil wer auf Würfel fünf das Licht aufgedreht hat. Und dieser Jemand kann nur einer sein.« – »Der Herr Hannes«, brummte Basti. Bianca: »Schon spannend, oder? Das heißt nämlich nichts anderes, als dass der Herr Hannes gar nicht in seiner Wohnung wohnt. Sondern, wenn er überhaupt wo wohnt, dann wohnt er in der Nachbarwohnung.« – »Nisslgasse 21«, murmelte Basti. Bianca: »Und wenn er dort alleine wohnt, dann ist er aber ur kein Stromsparer, sondern eher das Gegenteil, weil er dann nämlich den ganzen Tag das Licht auf Würfel sechs brennen lässt.« Judith: »Also wohnt er vielleicht gar nicht …« – Bianca: »Alleine! Super, Frau Chefin, genau das Gleiche haben der Basti und ich uns volle auch gedacht.« – »Und vielleicht …« – Bianca: »Ja genau, Chefin.« – »Die gehbehinderte Witwe mit den Bananen«, brummte Basti und drehte an seiner silbernen Kugel.

6.

Fünf Tage musste sie bei vermeintlich schwachem Verstand so tun, als wäre nichts gewesen. Das war neben der Nach-prüfung in Mathematik in der siebenten Klasse die bisher schwierigste Aufgabe und das Meistern derselben die ver-mutlich größte Leistung in ihrer Biografie.

Am zwanzigsten Dezember war Hannes ganztägig mit Terminen und Weihnachtserledigungen beschäftigt. Mama war ab Mittag an das Lampengeschäft gebunden, weil Bianca dringend zum Frauenarzt musste, was man einem Lehrmädchen beim besten Willen nicht verbieten konnte, erst recht nicht vier Tage vor Weihnachten.

Tatsächlich holten Bianca und Feuerwehrmann Basti in Dienstkleidung Judith gegen dreizehn Uhr im dichten Schneetreiben ab, um gemeinsam das Haus Nisslgasse

Nummer 14 zu besuchen. »Schauen Sie, Chefin«, sagte Bianca vom Beifahrersitz des parkenden Autos aus, »in der vierten Reihe von unten leuchten zwei Würfel, der fünfte schwach und der sechste stark. Wie wir immer gesagt haben.«

Bianca blieb im Auto und beobachtete den Eingang, um gegebenenfalls per Handy Hannes-Warnung auszugeben. Basti hatte das Haustor in wenigen Sekunden geöffnet. Er fuhr mit dem Lift in den vierten Stock und klingelte bei Tür Nummer 21, Judith stand ein paar Stufen weiter unten im Treppenhaus und lauschte, was geschah. Dreimal wiederholte sich das Klingelgeräusch, einmal murmelte er: »Niemand da.« – Dann machte offensichtlich jemand die Tür auf. Basti brummte etwas von »Brandschutz, Kontrolle, Fluchtwege, Routine, dauert nicht lange«. Nach einer ewig langen Pause fiel die Tür ins Schloss. Judith wartete noch ein paar Augenblicke, um sicherzugehen, dass Basti in der Wohnung war. Dann trippelte sie die Stufen hinunter und eilte zu Bianca ins Fahrzeug. »Wollen Sie auch?«, fragte diese und hielt Judith einen nach Walderdbeeren riechenden Lippenstift entgegen. »Ist volle gut gegen Nervosität.« Basti kam etwa fünf Minuten später. Sein Mund war noch weiter offen als sonst.

7.

»Eines ist klar, Frau Judith, der Herr Hannes hat Sie angelogen«, sagte Basti. Sie saßen zur Nachbesprechung im Gasthaus Raab, einem beliebten Feuerwehr-Treff mit Selbstbedienung an den Bierzapfhähnen, über denen ein Schild mit der Aufschrift »Lösch-Training für Fortgeschrittene« angebracht war. Das Problem bestand darin, dass man jetzt auf Bastis Worte angewiesen war, und die musste man ihm einzeln aus der Kehle kitzeln.

Geöffnet hatte ihm eine etwa sechzig- bis siebzigjährige, nicht gehbehinderte Frau ohne kleine Kinder, zumindest waren keine anwesend. – »Wie sah sie aus?« Basti: »Eh normal. Aber sie wollte mich zuerst nicht reinlassen.« – »Warum nicht?« Basti: »Weil sie gesagt hat, dass ihr Schwiegersohn nicht daheim ist.« – »Schwiegersohn?« Basti: »Ja, genau.« – »Hast du gefragt, wie er heißt?« Basti: »Nein. Aber es ist unser Herr Hannes.« – »Wieso weißt du das?« Basti: »Weil sie gesagt hat, mein Schwiegersohn Hannes ist nicht daheim.«

»Wahnsinn! Und was hat sie noch gesagt?« Basti: »Sonst nicht viel.« – »Basti, bitte, bemüh dich! Was war weiter?« Basti: »Sie hat mich dann doch hereingelassen. Und ich hab mir alles angeschaut.« – »Und?« Basti: »Feuerpolizeilich war alles in Ordnung, nur der Zugang zum Dachlaufsteg …« – »Und sonst?« Basti: »Auch. Eh eine schöne Wohnung. Alles aufgeräumt. Sauber. Gepflegt. Normal halt.« Judith und Bianca zuckten einander mit den Schultern zu.

Basti: »Der Herr Hannes wohnt schon seit zwölf Jahren dort. Und die Nachbarwohnung, also seine wirkliche Wohnung, Nummer 22, die immer finster ist, die gehört auch ihm, da hat er früher einmal gewohnt.« – »Wieso weißt du das?« Basti: »Weil sie es erzählt hat.« – »Und was hat sie noch erzählt? Was ist mit ihrer Tochter?« Basti: »Da hat sie nichts erzählt. Aber die heißt Bella.« – »Wieso weißt du das?« Basti: »Weil es auf dem Brief an der Pinnwand im Vorzimmer steht – für Bella, meinen Engel auf Erden oder so ähnlich. Und unten: In ewiger Liebe, dein Hannes, glaube ich, Liebe oder Treue, eins von beiden.« – »Volle arg, bitte«, sagte Bianca. Judith: »Da wird sich Mama freuen, wenn sie das erfährt!«

Basti: »Und daneben hängen Fotos. Und darüber auch. Die ganze Pinwand ist voll mit Fotos von dieser Bella.« – »Wie sieht sie aus?« Basti: »Sehr jung und eh hübsch, aber so dünn und blond eher und, wie soll ich sagen, so wie Frauen früher eben ausgeschaut haben.« – »Unsexy halt«, übersetzte Bianca. Basti: »Und auf ein paar Fotos ist nicht nur die Frau, sondern auch der Hannes drauf. Unser Herr Hannes, nur zehn oder mindestens zwanzig Jahre jünger.« – »Wahnsinn«, sagte Judith, »und was ist aus dieser Bella geworden?« Basti: »Das hat sie nicht gesagt.« Bianca: »Warum hast du nicht gefragt?« – Basti: »Weil, bitte was geht das einen Feuerwehrmann an?«

Bianca: »Vielleicht ist sie gestorben.« Basti: »Das glaube ich eher nicht.« – »Wieso?« Basti: »Weil ich glaube, dass sie eh da war, und zwar in dem Raum, wo die Tür zu war und wo mich die alte Frau nicht hineingelassen hat, obwohl ich gesagt habe, dass das an sich auch überprüft werden muss, feuerpolizeilich, aber da hat sie sich geweigert.« – »Volle arg, bitte«, sagte Bianca. Basti: »Und außerdem ist das genau der Raum, der von der Straße aus der Würfel Nummer sechs ist. Der, der immer leuchtet, auch in der Nacht.«

Phase fünfzehn

1.

Als er am Abend an ihr Bett kam, stellte sie sich schlafend, aber ihre Arme und Beine zitterten. Sie hatte vergessen, die Tabletten im Sparschwein verschwinden zu lassen, und er bemerkte natürlich sofort, dass sie noch auf dem Kästchen lagen. Seine Hand schob sich unter ihren vom Schweiß feuchten Nacken und hob ihren Kopf. Wie eine dieser Spielpuppen, die im Liegen schliefen und im Sitzen plötzlich wach waren, öffnete sie ihre Augen und starrte an ihm vorbei auf die Kommode mit der Bananenschüssel. »Liebling, wir müssen dreimal täglich unsere Medizin nehmen, sonst werden wir nie gesund«, flüsterte er und setzte ihr das Wasserglas an die Lippen, in dem bereits die Pillen badeten.

Innerhalb von Zehntelsekunden musste sie entscheiden, ob sie ihr Schauspiel beenden und ihm das Glas ins Gesicht schleudern sollte. Nein, es war klüger, noch einmal die Augen zu schließen, den Mund zu öffnen, artig hinunterzuschlucken, den freien Fall in Kauf zu nehmen und durch die graue Wattewand zu tauchen. Sie schwor sich, dass es das letzte Mal war.

Als er weg war, presste sie ihre Handballen gegen die Schläfen und versuchte, die ersten Anflüge des tauben Gefühls zu verscheuchen. Solange sie sich mit ihren Gedanken an »Bella« festklammern konnte, hielt sie sich oberhalb der

Nebelgrenze. Zwischendurch huschte ihr Jessica Reimann in den Sinn, die gerade sehr stolz auf sie gewesen wäre. Und plötzlich war »Domino-Day«, ein Stein warf den anderen um, ein gelöstes Rätsel öffnete das nächste: Bella war die Abkürzung von Isabella. Isabella, Isabella, Isabella – Permason, die Lampenkäuferin. Und richtig, sie kannte den Namen, er stand ganz oben auf der Liste. Isabella Permason. Reimanns Schriftzug mit S-Schlinge und Schräglage. Es war bei ihrer ersten Begegnung auf der Psychiatrie gewesen: Reimann war vor dem Computer gesessen und hatte Befunde studiert. Judith hatte den Zettel in die Hand genommen, war über die persönlichen Angaben geflogen und bei fremden Namen hängen geblieben. »Wer sind die anderen?«, hatte sie gefragt. »Ähnliche Krankengeschichten, aus unserem Archiv«, hatte die Ärztin erwidert. Ganz oben, nein, sie irrte sich nicht, bestimmt nicht, ganz oben – »Isabella Permason«. Sie und diese Frau auf der gleichen Liste. Verbindungsmann Hannes. Gemeinsame Stimme, gemeinsamer Kristallluster. Dasselbe Klirren. Das gleiche Licht, und wie es schwächer und schwächer wurde. Nur noch matte Geräusche. Der Nebel fiel ein. Die Mauer legte sich eng um sie und raubte ihr die Sicht. Nur noch einmal schlafen. Einmal tief schlafen, und dann.

2.

Der zweiundzwanzigste Dezember fiel auf einen Sonntag. Gegen zehn Uhr vormittags kam Bastis SMS-Mitteilung aus dem parkenden Fahrzeug in der Nisslgasse: Hannes und die Frau, die sich als seine Schwiegermutter ausgab, hatten das Wohnhaus knapp hintereinander verlassen. Keine fünf Minuten später holte Bianca, die auf Abruf bereitgestanden war, Judith zum geplanten Winterspaziergang ab. Weitere fünfzehn Minuten vergingen, bis Basti den entsprechenden Schlosszylinder im vierten Stock mit dem Sperrwerkzeug abgetastet und die Tür geöffnet hatte. Nun übernahmen er und Bianca den Sicherungsdienst, und Judith konnte die Wohnung Nummer 21 betreten.

»Hallo?«, sprach sie sich selbst gleich beim Eingang Mut zu und steuerte, vorbei an der Fotogalerie und an sauber dekorierten, mit Blumentapeten versehenen, von Biedermeiermöbeln umstellten Räumen, in denen noch die Herbstluft hing, direkt auf die angelehnte weiße Türe zu, die sie zweimal flüchtig mit ihren Fingerknöcheln berührte, ehe sie sich von alleine öffnete.

Der Aufschrei ließ sich gerade noch unterdrücken. Sie hatte mit beinahe allem gerechnet, was sie hier zu Tode erschrecken würde, aber nicht mit einer zur Unerschrockenheit erstarrten und doch lebendigen Marmor- oder Porzellanfigur, die im Licht einer vom Plafond baumelnden mächtigen Weltkugel aufrecht in einem französischen Jugendstilbett saß und nichts anderes tat, als sich mit ihrem trüben Blick an Judiths weit aufgerissenen Augen festzuklammern.

»Hallo«, sagte sie, gedämpft, um ihre eigene Stimme zu hören und sich vom ersten Schock zu erholen. »Entschuldigung, dass ich hier einfach so …« – Ihr Gegenüber mit der durchsichtigen Haut und dem glattgekämmten schulterlangen graublonden Haar senkte die Augenlider, als würde sie sich vom Wachkoma in den Schlaf fallen lassen, hob sie aber gleich wieder an, um zu beweisen, dass sie bei Bewusstsein war.

»Ich … äh … heiße Judith, und Sie sind wahrscheinlich Isabella … Darf ich Bella sagen? – Also ich sage einfach Bella.« Judith sprach leise, beinahe im Flüsterton, um jede Erschütterung zu vermeiden. »Ich will Sie wirklich nicht … belästigen, aber wir beide, wir haben einen gemeinsamen …« Vielleicht täuschte sie sich, aber die Puppenfrau schien ihre Mundwinkel anzuheben. »Wir haben einen gemeinsamen … Ich kenne ihn gut. Hannes, nicht wahr? Hannes Bergtaler.« Sie machte jetzt zwischen allen paar Wörtern Sprechpausen, versuchte sich dem Kriechtempo anzupassen, in dem in diesem Ruheraum die Zeit verging.

»Er und ich, Hannes und ich, wir sind uns damals, also ich bin ihm über den Weg gelaufen, ich bin ihm praktisch in die Arme gelaufen. Es war zu Ostern in einem Kaufhaus. Und dann … Ich hatte wirklich keine Ahnung, dass er … Er hat mir nie davon erzählt. Kein Wort von Ihnen. Bella? Können Sie mich hören? Verstehen Sie, was ich sage?« Die blasse Frau starrte sie regungslos an. Der Sekundenzeiger einer braunen Wanduhr imitierte den Klang verlangsamter Herzschläge. »Ich … äh … Bella, ich hoffe, meine Frage ist nicht zu indiskret, aber für mich ist es sehr wichtig, Sie müssen wissen, ich gebe noch nicht auf, ich kämpfe dagegen an, und deshalb meine Frage: Sind Sie wirklich … wirklich die Frau … ich meine, die Ehefrau von … ihm?« Jetzt bewegte sich etwas an ihrem Mund, so als nehme sie Schmerzen hin, um zu zeigen, dass sie lächeln konnte.

»Darf ich mich zu Ihnen ans Bett setzen?« Ach, egal, sie

tat es einfach und griff nach der schlaffen Hand der Patientin. Eine Weile schauten sie sich schweigend an und ließen die Wanduhr ihre Arbeit machen, bis sich Judiths Augen mit Tränen füllten.

»Sie stehen wahrscheinlich unter Einfluss sehr starker Medikamente, Sie Arme, das kenne ich, da ist man wie gelähmt, wie eingemauert, irgendwie gar nicht mehr von diesem Planeten, nicht wahr?« Jetzt blinzelte die blasse Frau wieder. Sie musste schön gewesen sein, als sie noch mit ihrem eigenen Verstand gelebt hatte und nicht gegen ihn.

»Es ist mir wichtig, Ihnen eines zu sagen. Ich weiß nicht, ob Sie mich verstehen können oder … wollen, aber ich muss es Ihnen jetzt sagen: Ich habe Hannes nicht geliebt, niemals, ehrlich nicht. Aber ich habe es zu spät bemerkt. Das war mein schwerer Fehler. Das war meine … Schuld …« Jetzt bewegte die Frau ihren Kopf, versuchte ihn ruckartig nach links und nach rechts zu drehen und spannte dabei ihre schlaffen Gesichtsmuskeln an. So schwer fiel es ihr offenbar bereits, Widerspruch anzumelden.

»Ich weiß nicht, ob ich das Recht habe, Ihnen gegenüber … Weiß Gott, was Sie erlebt haben, wie es dazu gekommen ist, dass Sie … Waren es Stimmen? Stimmen von nebenan? Ich kenne Hannes. Ihm ist jedes Mittel recht. Er verfolgt nur dieses eine Ziel. Er kann gar nicht anders. Sein Begriff von Liebe ist … das hat nichts mit Liebe zu tun. Ich bitte Sie um Verzeihung, wenn ich …«, stammelte Judith. – Erst presste Isabella nur die Augenlider zusammen, dann rührte sich ihre rechte Hand, entzog sich der von Judith, erreichte mit kleinen Sprüngen die Ablage neben ihrem Bett und streckte den Daumen von sich, um auf etwas hinzuweisen. Da stand neben einem Stapel von Bilderbüchern ein Radiowecker, davor ein Glas Wasser, neben Bananenschalen und Medikamentenpackungen lag ein Fieberthermometer, und in einer kleinen asiatischen Vase steckten ein paar blaue Plastikblumen. Doch die glashäutige Frau hatte offensichtlich die dahinter verborgene hellbraune Holzschatulle gemeint.

Judith entnahm ihr eine Halskette mit großen, ockergelb schimmernden Bernsteinkugeln. »Sehr schön, an sich«, sagte sie, »ich hoffe, Sie mögen Bernstein etwas mehr als ich.« Wieder bemühte sich die Frau zu lächeln. Als Judith die Kette zurück in die Schachtel legen wollte, sprang ihr die Zeichnung auf einem bereits vergilbten Papier ins Auge – ein zu dick geratenes Bleistift-Herz. Auf der Rückseite standen ein paar handgeschriebene Zeilen. Judith las den kurzen Text, las ihn noch einmal, ergriff dann wieder die Hand der Frau, drückte sie fest und sagte: »Bella, ich habe eine große Bitte an Sie. Darf ich mir diesen Brief ausborgen? Nur für einen Tag. Ich bringe ihn wieder zurück. Ich komme wieder, ich lasse Sie hier nicht allein. Ich werde mit Ihrer Mutter reden, gleich anschließend, ich werde ihr die ganze Geschichte erzählen. Alles wird wieder … alles wird … besser. Ich werde mich um Sie kümmern, ich verspreche es.«

3.

Für den Abend war ein vorweihnachtliches Fest mit der Familie und den engsten Freunden geplant, von dem Judith nichts ahnen sollte und, wenn es so weit war, wohl auch nicht viel mitbekommen würde. – Dachten sie. Aber sie wollten Hannes die Freude an der Überraschung nicht nehmen.

Am späten Nachmittag hatten Judith, Bianca und Basti alle notwendigen Vorbereitungen für ein Gelingen dieser ganz besonderen Feier getroffen. Judith hatte sich noch ein letztes Mal in ihr Bett verkrochen und hörte nun, wie die ersten Besucher eintrudelten, wie sich ihre Sektgläser gegenseitig willkommen hießen und wie ihre Stimmbänder dazu die eingangs üblichen floskelhaften Lockerungsübungen durchführten.

Zwischendurch wurde freilich auch ernst und betreten getuschelt, das war man der entmündigten Hausherrin schon schuldig. Über ihren Geisteszustand erfuhr sie, dass dieser »stagniere«, der »kritische Punkt aber bereits überschritten« wäre, dass es »schon lange keine Eklats mehr gegeben« hätte, dass sie »eine brave Esserin« sei und wie großartig die moderne Medizin mit ihren genial facettenreichen Wirkstoffen doch war. Diese ermöglichten es, psychiatrischen Patienten daheim »ein absolut menschenwürdiges Dasein« zu gewährleisten. Mehr noch, Judith war »eine richtig fröhliche, ausgeglichene Frau«, wusste Hannes, und sie konnte »auf diese Weise gut und gern hundert Jahre alt« werden.

Am Ende der Gesundheitsdebatte verlieh Mama Hannes für die aufopfernde Pflege und Betreuung ihrer Tochter offiziell und unter gediegenem Applaus der Festgäste das kirsch- oder weinrote Verdienstzeichen ihrer garantiert dickschichtig angemalten Lippen auf beiden seiner Wangen. Man hörte es bis ins Patientenzimmer schmatzen.

Nun steuerte der Abend seinem ersten Höhepunkt zu.

Judith ließ sich aufwecken, aus dem Bett holen und gästetauglich herrichten – wobei sie auf ihre Winter-Psycho-Kollektion, einen violetten Flanell-Pyjama unter einem schwarzen Frottee-Bademantel, bestand. Danach durften all ihre Lieben sie herzlich umarmen und im Diesseits willkommen heißen. Einzig zu Lukas ging sie auf Distanz, ihm gegenüber war ihr das Theaterspiel doch ein wenig peinlich. Und ihrem Bruder Ali, der einen besonders traurigen Tag erwischt hatte, versuchte sie aufmunternd zuzublinzeln.

Dann meldete sich der Gastgeber zu Wort. »Liebe Judith, liebe Familie, liebe Freunde, wie ihr wisst, bin ich kein Freund langer Reden«, begann er seine lange Rede. Er sprach von den vergangenen Monaten, die für alle »bei Gott nicht einfach« gewesen seien, von Herausforderungen, die man annehmen müsse, von persönlichen Veränderungen, die quasi über Nacht eintreten konnten und gegen die man macht- und wehrlos war. An dieser Stelle entschloss sich Judith zu einem kleinen Zwischenapplaus, der ein paar äußerst angenehme Augenblicke betretener weihnachtlicher Stille zur Folge hatte.

Danach fasste sich Hannes etwas kürzer und landete bald bei der Feststellung, dass »der heutige Tag ein besonderer für Judith und mich« sei, womit er vollkommen recht hatte. »Es wird sich nämlich unsere, wie soll ich sagen, unsere Wohnsituation«, er dehnte bedeutungsschwanger die O-Laute und sagte »Woooohnsituatiooooon«, ja, diese Wohnsituation würde sich an diesem Tage ändern, »ausweiten sozusagen«, ergänzte er schmunzelnd. Hier konnte Judith nicht anders und musste noch einmal kräftig in die Hände klatschen.

Nun hielt Hannes einen Schlüssel hoch, klimperte damit triumphierend und sprach im Tonfall eines mittelalterlichen Pförtners: »Darf ich euch bitten, mir zu folgen.« Judith hängte sich bei Ali ein und tat so, als würde sie sich von ihm leiten lassen. In Wirklichkeit war sie die Einzige, die bereits wusste, wohin der kurze Weg sie führen würde. Ein ähnliches Wohnmodell hatte sie erst kurz zuvor kennengelernt.

Ein paar Augenblicke später standen sie in der Nachbarwohnung, in jener des verstorbenen Rentners Helmut Schneider, und staunten über die aufwendige Gestaltung der renovierten Räume. Hannes hatte wahrlich ganze Arbeit geleistet, und dies noch dazu unter perfektionistischer Geheimhaltung, sah man von einigen nächtlichen Geräuschaktionen ab, die Judith beinahe den Verstand geraubt hatten. Beinahe.

In diesen verklärten Momenten ließ sich natürlich über gar nichts streiten, nicht einmal über Geschmack, wenngleich an jedem Quadratzentimeter der sorgsam verbauten Fläche mit freiem Auge erkennbar war, dass der verantwortliche Architekt normalerweise Apotheken ausstattete.

»Ich habe diese Wohnung dazugenommen, damit wir uns hier nicht gegenseitig auf die Zehen steigen«, sagte Hannes in feierlicher Bescheidenheit. Mit »wir« meinte er selbstverständlich auch Mama, für die sich ein dritter Frühling anzukündigen schien. Judith hatte sich von der Gruppe entfernt und den Tisch mit den belegten Brötchen entdeckt. Sie erklärte das Buffet für eröffnet.

»Darf ich noch einmal um eure Aufmerksamkeit bitten?« – Er durfte. Denn eine letzte Überraschung hatte er noch parat. Sie wartete hinter der angelehnten weißen Tür und deutete bereits durch den schmalen Spalt ihre phänomenale Leuchtkraft an.

Da standen sie nun alle in Judiths neuem Wohn-, Schlaf-, Ruhe-, Unruhe-, Tag-, Nacht-, Lebensraum, in dem ihr zugedachten Fünf-Sterne-Verlies, in dem sie alles haben sollte, was Hannes für ihr »absolut menschenwürdiges Dasein« eingefallen war, inklusive einer neuen, noch größeren Obstschüssel, in der allerdings nur enttäuschende drei Stück Bananen herumlungerten, daran war noch zu arbeiten.

Judith steuerte sofort auf die Wand zu, die ihr vermeintlich neues Zuhause von ihrem alten Schlafzimmer trennte, und tastete sie unbemerkt ab. Zu gern hätte sie Hannes jetzt schon selbst gefragt, wie er den Klang der Blechplatten erzeugt hatte, ob seine Stimme jedes Mal live oder vom Tonband gekommen war, ob er vielleicht sogar Boxen in das Gemäuer eingebaut hatte? Aber das war nicht mehr ihre Aufgabe.

Natürlich blieben die verzückten Blicke der Gäste in der Mitte des Raumes hängen. Da schwebte er nun majestätisch über ihrem Bett, der elegante Kristallluster aus Barcelona mit seinem unverwechselbar funkelnden Farbenspiel. »Dieser Luster, liebe Familie, liebe Freunde, dieser Luster hat eine ganz besondere Bedeutung für uns zwei«, sprach er. »In seinem Licht haben Judith und ich uns quasi …« Die kurze Pause war notwendig, damit die Anwesenden ihr von der rührenden Situation erzwungenes Lächeln aufsetzen konnten. »Quasi lieben gelernt«, sagte er.

Judith, die Unbelehrbare, steuerte von hinten auf den Luster zu, rührte mit beiden Händen kräftig an den Kristallschnüren, erzeugte diese eigentümliche und doch so vertraute Melodie und brach in lautstarkes Gelächter aus. »Seht nur, wie sie sich freut!«, sagte Hannes. Nach und nach bemerkten es auch die anderen.

4.

Die Türglocke beendete das Schauspiel und ließ die Besucher abrupt verstummen. »Meine Gäste sind da«, verkündete Judith mit heller, klarer Stimme, an die sie sich selbst erst wieder gewöhnen musste. Bianca und Basti kamen in Begleitung zweier fremder Männer, die im Vorraum stehen blieben. »Verzeihung, wir stören nur ungern«, sagte der kleinere, dessen Brillengläser scheinbar aus Verlegenheit angelaufen waren. »Sie stören überhaupt nicht, wir sind ohnehin gerade beim Feiern«, machte ihnen Judith Mut. »Entschuldigen Sie übrigens meine Aufmachung, ich hatte leider noch keinen Kopf für eine dem Anlass entsprechende Garderobe.« – Ohne sich umzusehen, erfreute sie sich an der Gewissheit, nun von allen Seiten bestaunt zu werden. Vor allem Hannes war ob ihrer Wandlungsfähigkeit bestimmt »wie von den Socken«.

»Die Herren sind von der Kripo, also von der Kriminalpolizei«, beeilte sich Bianca aufgeregt zu verlautbaren, »Herr Inspektor Bittner und Herr Oberinspektor Kainreich.« Sie beugte sich wie für ein Gruppenfoto zu ihnen. Basti stand mit roten Wangen daneben und hatte den Mund noch etwas weiter offen als sonst.

»Herr Bergtaler?«, fragte der Oberinspektor in die irritierte, betreten dreinblickende Runde. »Das bin ich«, sagte

Hannes. Es hörte sich gequält an. Sein Blick war gesenkt, und seine Mundwinkel zuckten wie damals im Café Rainer, als Judith zum ersten Mal vergeblich Schluss mit ihm gemacht hatte. »Wir hätten da eine Reihe von Fragen an Sie, und deshalb bitten wir Sie …« – »Fragen?«, fragte Mama bestürzt. – »Deshalb ersuchen wir Sie, dass Sie mit uns ins Präsidium kommen, damit wir …« – »Aber selbstverständlich, Herr Inspektor«, unterbrach Hannes mit zittriger Stimme, »wenn ich irgendwie helfen kann.« – Judith: »Das kann er.« Mama: »Ins Präsidium?« – »Das wäre, wenn es möglich ist, leider erforderlich, da eine umfangreiche Strafanzeige vorliegt, wo wir in zwei Fällen schwere Verdachtsmomente …« Er hielt jetzt ein blaues Notizbuch in der Hand, räusperte sich und las: »Nach Paragraf 99, Freiheitsentziehung. Paragraf 107, Gefährliche Drohung. Paragraf 107a, Beharrliche Verfolgung. Paragraf 109, Hausfriedensbruch …«

Mama: »Ja um Himmels willen, worum geht es, was ist denn geschehen?« – »Glaub mir, Mama, das willst du nicht wissen«, erwiderte Judith. Sie gab Bianca ein Zeichen, die stieß Basti, der machte den Mund zu und öffnete die Tür. – »Wir haben noch einen weiteren Überraschungsgast.« Judith schritt auf eine große hagere Frau mit kurzen grauen Haaren zu, die draußen gewartet hatte, nahm sie unter dem Arm, führte sie zu ihrer Mutter und sagte in förmlichem Ton: »Frau Permason, das ist meine Mama. Mama, das ist Frau Adelheid Permason, die Schwiegermama von Hannes.« Die folgenden Augenblicke, in denen die Worte ihre Wirkung entfalteten, waren die genussvollsten der vergangenen Monate.

»Zur Erklärung für meine lieben sprachlosen Festgäste«,

holte Judith aus, »Hannes hat seine Frau Isabella, die Tochter von Frau Permason, über viele Jahre, genau genommen bis zum heutigen Tag … nennen wir es *psychologisch betreut*.« – »Was hast du getan?«, schrie die hagere grauhaarige Frau auf, »warum hast du uns das angetan?« Die Blicke waren jetzt auf Hannes gerichtet, der abseits der Gruppe auf einem Stuhl kauerte, die verschränkten Hände vors Gesicht hielt und mit dem Kopf heftig auf und ab wippte. »Du bist krank, Hannes«, schrie Frau Permason, »*du* bist es, der krank ist. Schwerkrank im Kopf!«

Judith: »Damit ihr wisst, wovon wir reden, habe ich ein paar Zeilen von Hannes an Isabella mitgebracht. Sie waren einer wunderschönen Bernsteinkette beigelegt, die er ihr vor dreizehn Jahren zum Geschenk gemacht hat.« Judith hielt den vergilbten Zettel mit dem aufgemalten Herz in der Hand und las: »*Für Isabella, meinen Engel auf Erden, zum 25. Geburtstag. Die Liebe bindet uns aneinander. Die Ewigkeit schweißt uns zusammen. Du bist mein Licht und ich dein Schatten. Uns beide kann es nie mehr einzeln geben. Wenn du atmest, atme ich! Ewig Dein Hannes.*«

(ENDE)

Daniel Glattauer

wurde 1960 in Wien geboren und ist seit 1985 als Journalist und Autor tätig. Bekannt wurde Glattauer vor allem durch seine Kolumnen, die im so genannten »Einserkastl« auf dem Titelblatt des *Standard* erscheinen und auch in Auszügen in seinen Büchern »Die Ameisenzählung«, »Die Vögel brüllen« und »Mama, jetzt nicht!« zusammengefasst sind. Seine beiden Romane »Der Weihnachtshund« und »Darum« wurden mit großem Erfolg verfilmt. Der Durchbruch zum Bestsellerautor gelang ihm mit dem Roman »Gut gegen Nordwind«, der, für den Deutschen Buchpreis nominiert, in zahlreiche Sprachen übersetzt und auch als Hörspiel, Theaterstück und Hörbuch adaptiert wurde.

Mehr zum Autor und seinen Büchern finden Sie unter www.daniel-glattauer.com.

Mehr von Daniel Glattauer:

Gut gegen Nordwind. Roman
Alle sieben Wellen. Roman
Darum. Roman
Der Weihnachtshund. Roman
Die Ameisenzählung. Kommentare zum Alltag
Die Vögel brüllen. Kommentare zum Alltag
Theo. Antworten aus dem Kinderzimmer
Mama, jetzt nicht! Kolumnen aus dem Alltag

G GOLDMANN
Lesen erleben

*Ein Meister darin,
die feinen Zwischentöne
im Dschungel unserer
Gefühle darzustellen …*

Die Beziehung von Joana und Valentin ist am Tiefpunkt angelangt, und die Versuche, die der Paartherapeut anstellt, um die beiden Streithähne in den Griff zu kriegen, sind ganz und gar nicht erfolgreich. Joana weiß immer schon vorher, was ihr Ehemann sagen will, und sorgt mit ihrem Redeschwall dafür, dass er oft gar nicht zu Wort kommt. Valentin straft sie dafür mit Gefühlskälte. Er nimmt jeden Missstand als gegeben hin und sieht keinen Grund für Veränderung. Doch nicht nur das Paar hat Probleme – auch der Therapeut scheint in Schwierigkeiten zu stecken …

(Eine KOMÖDIE)

Erscheint am 24. Februar 2014

Daniel
GLATTAUER
DIE WUNDER-
ÜBUNG

Deuticke

Deutsche Zsolnay

112 Seiten. Gebunden
www.daniel-glattauer.de

„**Daniel Glattauer** hat ein **großes Talent,** seine *Leser* immer wieder zu **überraschen.**"

Brigitte